中华人民共和国国家标准

炼油装置火焰加热炉工程技术规范

Technical code for refining fired heater

GB/T 51175-2016

主编部门：中国石油化工集团公司
批准部门：中华人民共和国住房和城乡建设部
施行日期：2017年4月1日

中国计划出版社

2016 北京

中华人民共和国国家标准
炼油装置火焰加热炉工程技术规范
GB/T 51175-2016

☆

中国计划出版社出版发行
网址：www.jhpress.com
地址：北京市西城区木樨地北里甲11号国宏大厦C座3层
邮政编码：100038 电话：(010) 63906433 (发行部)
三河富华印刷包装有限公司印刷

850mm×1168mm 1/32 5.25 印张 129 千字
2017 年 3 月第 1 版 2017 年 3 月第 1 次印刷
☆
统一书号：155182・0010
定价：32.00 元

版权所有 侵权必究
侵权举报电话：(010) 63906404
如有印装质量问题，请寄本社出版部调换

中华人民共和国住房和城乡建设部公告

第 1258 号

住房城乡建设部关于发布国家标准《炼油装置火焰加热炉工程技术规范》的公告

现批准《炼油装置火焰加热炉工程技术规范》为国家标准，编号为 GB/T 51175—2016，自 2017 年 4 月 1 日起实施。

本规范由我部标准定额研究所组织中国计划出版社出版发行。

中华人民共和国住房和城乡建设部
2016 年 8 月 18 日

前 言

本规范是根据住房城乡建设部《关于印发〈2011年工程建设标准规范制订、修订计划〉的通知》(建标〔2011〕17号)的要求,由中国石化工程建设有限公司会同有关单位共同编制完成的。

在编制过程中,编制组经广泛调查研究,认真总结实践经验,参考了国际标准和国外先进标准,并在广泛征求意见的基础上,最后经审查定稿。

本规范规定了炼油装置用火焰加热炉、空气预热器、通风机和燃烧器的设计、材料选用、制造、检验、试验、运输准备和安装等方面的最低要求。本规范共分16章和4个附录。主要技术内容包括:总则,术语和符号,基本规定,设计要求,炉管,弯头,配管、端部接头和集合管,炉管支承件,耐火和隔热,钢结构和附件,烟囱、烟风道和尾部烟道,燃烧器和辅助设备,空气预热系统,仪表和辅助管接口,车间预制和现场安装,检查、检测和试验等。

本规范由住房城乡建设部负责管理,由中国石油化工集团公司负责日常管理,由中国石化工程建设有限公司负责具体技术内容的解释。执行过程中如有意见或建议,请寄送至中国石化工程建设有限公司(地址:北京市朝阳区安慧北里安园21号,邮政编码:100101),以供今后修订时参考。

本规范主编单位、参编单位、主要起草人和主要审查人:

主 编 单 位:中国石化工程建设有限公司
参 编 单 位:中石化洛阳工程有限公司
　　　　　　中石化第十建设有限公司
　　　　　　大庆石化工程有限公司
主要起草人:孙　毅　张海燕　蔡建光　王德瑞　厉亚宁

主要审查人:	宋相华	张小筠	张伟乾	闫善道	黄　平
	徐上峰	冯永生	齐　青	房家贵	
	尹朝曦	魏学军	周家祥	葛学礼	施　刚
	仇性启	李泰勋	葛春玉	郭慧波	高步新
	陆磐古	汪　洋	黄梓友	张瑞环	黄嗣罗
	王　伟	任　政	周俊轩	马利峰	

目　次

1　总　则 …………………………………………………（ 1 ）
2　术语和符号 ……………………………………………（ 2 ）
　2.1　术语 ………………………………………………（ 2 ）
　2.2　符号 ………………………………………………（ 7 ）
3　基本规定 ………………………………………………（ 9 ）
4　设计要求 ………………………………………………（ 10 ）
　4.1　工艺设计 …………………………………………（ 10 ）
　4.2　燃烧设计 …………………………………………（ 10 ）
　4.3　机械设计 …………………………………………（ 11 ）
5　炉　管 …………………………………………………（ 13 ）
　5.1　一般规定 …………………………………………（ 13 ）
　5.2　扩面部分 …………………………………………（ 15 ）
6　弯　头 …………………………………………………（ 16 ）
　6.1　一般规定 …………………………………………（ 16 ）
　6.2　堵头式回弯头 ……………………………………（ 17 ）
　6.3　急弯弯管 …………………………………………（ 18 ）
　6.4　材料 ………………………………………………（ 18 ）
7　配管、端部接头和集合管 ……………………………（ 21 ）
8　炉管支承件 ……………………………………………（ 22 ）
　8.1　一般规定 …………………………………………（ 22 ）
　8.2　荷载和许用应力 …………………………………（ 23 ）
　8.3　材料 ………………………………………………（ 24 ）
9　耐火和隔热 ……………………………………………（ 25 ）
　9.1　一般规定 …………………………………………（ 25 ）

9.2　砖结构 …………………………………………………（26）
　9.3　浇注料衬里结构 ……………………………………（27）
　9.4　陶瓷纤维结构 ………………………………………（27）
　9.5　复合衬里结构 ………………………………………（29）
10　钢结构和附件 ……………………………………………（31）
　10.1　一般规定 …………………………………………（31）
　10.2　结构 ………………………………………………（32）
　10.3　弯头箱、人孔和开孔 ………………………………（32）
　10.4　直梯、平台和斜梯 …………………………………（33）
11　烟囱、烟风道和尾部烟道 ………………………………（35）
　11.1　一般规定 …………………………………………（35）
　11.2　静态设计 …………………………………………（36）
　11.3　风诱导振动的设计 …………………………………（37）
12　燃烧器和辅助设备 ………………………………………（40）
　12.1　燃烧器 ……………………………………………（40）
　12.2　吹灰器 ……………………………………………（46）
　12.3　通风机和驱动机 ……………………………………（46）
　12.4　烟囱、烟风道挡板和挡板控制 ……………………（46）
13　空气预热系统 ……………………………………………（48）
　13.1　一般规定 …………………………………………（48）
　13.2　烟风道设计 ………………………………………（50）
　13.3　膨胀节 ……………………………………………（51）
　13.4　烟风道保温 ………………………………………（51）
14　仪表和辅助管接口 ………………………………………（53）
　14.1　烟气和空气用管接口 ………………………………（53）
　14.2　工艺流体测温用管接口 ……………………………（54）
　14.3　辅助管接口 ………………………………………（54）
　14.4　管壁热电偶 ………………………………………（55）
　14.5　管接口位置 ………………………………………（55）

15	车间预制和现场安装 …………………………………	(56)
15.1	一般规定 ……………………………………………	(56)
15.2	钢结构预制 …………………………………………	(56)
15.3	盘管制造 ……………………………………………	(57)
15.4	涂漆和防腐 …………………………………………	(58)
15.5	耐火和隔热 …………………………………………	(58)
15.6	装运准备 ……………………………………………	(59)
15.7	现场安装 ……………………………………………	(60)
16	检查、检测和试验 ………………………………………	(62)
16.1	焊接检查 ……………………………………………	(62)
16.2	铸件检验 ……………………………………………	(64)
16.3	其他部件的检验 ……………………………………	(66)
16.4	试验 …………………………………………………	(66)

附录 A 设备数据表 ……………………………………… (68)
附录 B 炉管支承件设计用应力曲线 …………………… (96)
附录 C 加热炉系统用离心通风机 ……………………… (109)
附录 D 火焰加热炉热效率测定 ………………………… (122)
本规范用词说明 …………………………………………… (129)
引用标准名录 ……………………………………………… (130)
附：条文说明 ……………………………………………… (133)

Contents

1 General provisions .... (1)
2 Terms and symbols .... (2)
   2.1 Terms .... (2)
   2.2 Symbols .... (7)
3 Basic requirements .... (9)
4 Design considerations .... (10)
   4.1 Process design .... (10)
   4.2 Combustion design .... (10)
   4.3 Mechanical design .... (11)
5 Tubes .... (13)
   5.1 General requirements .... (13)
   5.2 Extended surface .... (15)
6 Headers .... (16)
   6.1 General requirements .... (16)
   6.2 Plug headers .... (17)
   6.3 Return bends .... (18)
   6.4 Materials .... (18)
7 Piping, terminals and manifolds .... (21)
8 Tube supports .... (22)
   8.1 General requirements .... (22)
   8.2 Loads and allowable stress .... (23)
   8.3 Materials .... (24)
9 Refractories and insulation .... (25)
   9.1 General requirements .... (25)
   9.2 Brick and tile construction .... (26)

9.3　Castable construction ……………………………………… (27)
9.4　Ceramic-fibre construction ……………………………… (27)
9.5　Multi-component lining construction ………………… (29)
10　Structures and appurtenances ……………………………… (31)
　10.1　General requirements …………………………………… (31)
　10.2　Structures ………………………………………………… (32)
　10.3　Header boxes, doors and ports ……………………… (32)
　10.4　Ladders, platforms and stairways …………………… (33)
11　Stacks, ducts and breeching ……………………………… (35)
　11.1　General requirements …………………………………… (35)
　11.2　Static design ……………………………………………… (36)
　11.3　Wind-induced vibration design ……………………… (37)
12　Burners and auxiliary equipment ………………………… (40)
　12.1　Burners …………………………………………………… (40)
　12.2　Sootblower ……………………………………………… (46)
　12.3　Fans and drivers ……………………………………… (46)
　12.4　Dampers and damper controls for stacks and ducts ……… (46)
13　Air preheat systems ………………………………………… (48)
　13.1　General requirements …………………………………… (48)
　13.2　Ductwork design and analysis ……………………… (50)
　13.3　Expansion joints ………………………………………… (51)
　13.4　Ducting refractory and insulation systems ………… (51)
14　Instrument and auxiliary connections …………………… (53)
　14.1　Flue gas and air connections ………………………… (53)
　14.2　Process fluid temperature connections ……………… (54)
　14.3　Auxiliary connections ………………………………… (54)
　14.4　Tube-skin thermocouples ……………………………… (55)
　14.5　Access to connections ………………………………… (55)
15　Shop fabrication and field erection ……………………… (56)
　15.1　General requirements …………………………………… (56)

15.2	Structural-steel fabrication	(56)
15.3	Coil fabrication	(57)
15.4	Painting and galvanizing	(58)
15.5	Refractories and insulation	(58)
15.6	Preparation for shipment	(59)
15.7	Field erection	(60)
16	Inspection, examination and testing	(62)
16.1	Weld examination	(62)
16.2	Castings examination	(64)
16.3	Examination of other components	(66)
16.4	Testing	(66)
Appendix A	Equipment data sheets	(68)
Appendix B	Stress curves for use in the design of tube-support elements	(96)
Appendix C	Centrifugal fans for fired-heater systems	(109)
Appendix D	Measurement of efficiency of fired-process heaters	(122)
Explanation of wording in this specification		(129)
List of quoted standards		(130)
Addition: Explanation of provisions		(133)

1 总 则

1.0.1 为规范炼油装置火焰加热炉及辅助设备的设计、建造和验收,保障炼油装置火焰加热炉安全可靠、经济合理,制定本规范。

1.0.2 本规范适用于炼油装置火焰加热炉的设计、建造和验收。本规范不适用于蒸汽转化炉、裂解炉。

1.0.3 炼油装置火焰加热炉的设计、建造及验收除应符合本规范外,尚应符合国家现行有关标准的规定。

2 术语和符号

2.1 术　　语

2.1.1 火焰加热炉　fire heater

通过燃料燃烧,将释放出的热量传递给盘管内的流体介质的设备。

2.1.2 空气预热器　air preheater

通过高温介质如燃烧产物、蒸汽或其他介质将助燃空气加热的传热设备。

2.1.3 锚固件　anchor

由金属或耐火材料制成的用来固定耐火或隔热材料的部件。

2.1.4 雾化器　atomizer

用蒸汽、空气或机械方法将液体燃料油细化成雾状的设备。

2.1.5 背衬层　backup layer

热表面层背后的隔热层。

2.1.6 尾部烟道　breeching

收集对流段尾部烟气,将其送入烟囱或外部烟道的部分。

2.1.7 桥墙　bridgewall

将加热炉两个邻近区分开的耐火墙。

2.1.8 桥墙温度　bridgewall temperature

烟气离开辐射段的温度。

2.1.9 燃烧器　burner

将燃料和空气按预定的流速、湍流程度和浓度引入加热炉内形成并保持正常点火和燃烧的设备。

2.1.10 蝶型挡板　butterfly damper

旋转轴位于中心的单叶片挡板。

2.1.11 对流段　convection section
主要以对流方式将热量传递给炉管的加热炉部位。

2.1.12 折流体　corbel
耐火层表面凸出的部分，用以防止烟气绕过对流排管产生短路。

2.1.13 转油线　crossover
加热炉任何两个盘管段之间的连接管道。

2.1.14 挡板　damper
通过改变阻力来调节烟气或空气流量的部件。

2.1.15 抽力　draught
在加热炉系统内任何一点测得的空气或烟气负压（真空度）。

2.1.16 燃料效率　fuel efficiency
总吸热量除以燃料燃烧产生的总热量（以低发热量为基准）。

2.1.17 热效率　thermal efficiency
总吸热量除以总输入热量。总输入热量为燃料燃烧产生的低发热量加上空气、燃料和雾化介质的显热。

2.1.18 过剩空气量　excess air
比理论空气量多出的空气量。

2.1.19 扩面　extended surface
在吸热表面上，以翅片或钉头形式增加的传热表面。

2.1.20 扩面比　extension ratio
总的暴露于烟气中的外表面积与光管的外表面积之比。

2.1.21 强制通风加热炉　forced-draught heater
由通风机或其他机械提供助燃空气的加热炉。

2.1.22 污垢热阻　fouling resistance
计算总传热系数所需的一个系数。

2.1.23 闸板　guillotine
用于截断设备或加热炉的单叶片设备。

2.1.24 急弯弯管　return bend

用于连接两根炉管的弯管。

2.1.25 弯头箱　header box
隔断烟气并带有内保温结构的箱体，其内装有许多弯头或集合管。

2.1.26 吸热量　heat absorption
由盘管吸收的总热量，不包括助燃空气的预热。

2.1.27 平均热强度　average heat flux density
吸热量与盘管的外表面积之比。

2.1.28 最高热强度　maximum heat flux density
盘管中最大的局部传热速率。

2.1.29 体积放热量　volumetric heat release
总放热量（按低发热量计算的给定燃料燃烧释放的总热量）除以不包括盘管和耐火隔墙在内的辐射段净体积。

2.1.30 高发热量　higher heating value
以 15.6℃ 为基准，单位燃料燃烧释放的总热量。

2.1.31 低发热量　lower heating value
高发热量减去单位燃料中氢燃烧生成水的汽化潜热。

2.1.32 热面层　hot-face layer
多层或多种衬里中暴露在最高温度下的耐火层。

2.1.33 热面温度　hot-face temperature
与烟气或热风接触的耐火衬里表面温度。

2.1.34 总吸热量　total heat absorbed
总供热量（燃料燃烧的低发热量和空气、燃料、雾化剂的显热之和）减去总热量损失。

2.1.35 排烟热损失　stack heat loss
离开最终换热面时，烟气在此温度下的总显热。

2.1.36 显热修正值　sensible heat correction
空气、燃料和雾化剂在标定温度下的显热与基准温度 15.6℃（60°F）下的显热之差。用蒸汽作雾化剂时，其基准焓为

2530kJ/kg。

2.1.37 多叶式挡板　louver damper

由多个绕着各自中心轴转动的叶片组成的挡板，各叶片用连杆连接且同时动作。

2.1.38 集合管　manifold

把多程并行流体进行集中和分配的管箱。

2.1.39 复合衬里　multi-component lining

由两层或多层不同类型耐火材料组成的炉衬。

2.1.40 风机最大允许转速　fan maximum allowable speed

风机制造厂在设计中允许连续操作的最高转速。

2.1.41 风机最高允许温度　fan maximum allowable temperature

风机制造厂所设计的设备(或本术语涉及的任何部件)在规定的流体和规定的压力下连续运转的最高温度。

2.1.42 风机最高预期入口温度　fan maximum expected inlet temperature

风机正常操作温度加上由任何非正常操作条件引起的温升余量。

2.1.43 自然通风加热炉　natural draft heater

靠烟囱抽力吸入助燃空气并排出烟气的加热炉。

2.1.44 管程　pass

由一根或多根串联在一起的管子组成的流路。

2.1.45 长明灯　pilot

提供点燃能量以点燃主燃烧器的小燃烧器。

2.1.46 风箱　plenum

包围燃烧器的箱体，用来将空气分配到各燃烧器或减小燃烧噪声。

2.1.47 堵头式回弯头　plug header

带有一个或多个堵头的铸造回弯头，用于检查炉管或对炉管进行机械清洗。

2.1.48 辐射段　radiant section
主要以辐射方式将热量传递给炉管的加热炉部位。

2.1.49 散热损失　radiation loss
通过加热炉、烟风道和附属设备(有热回收系统时)外表面散发到周围的热量。

2.1.50 炉墙　setting
包括锚固件在内的加热炉外壳、砌体、耐火材料和隔热材料。

2.1.51 遮蔽段　shock section
直接接受热辐射并遮蔽其他对流段炉管的炉管。

2.1.52 扰流构件　spoiler
焊接在钢烟囱上用以防止卡门涡流引起的风振的构件。

2.1.53 风机静压差　fan static pressure rise
风机出口静压减去进口静压的差值。

2.1.54 火墙　bridgewall
一侧或两侧与火焰直接接触的竖直耐火砖墙。

2.1.55 温度裕量　temperature allowance
设计中,计及流量分布不均匀和操作的未知因素,对工艺流体温度增加的温度度数。

2.1.56 端部接头　terminal
流体出入盘管处的法兰或炉管端部。

2.1.57 炉管导向架　tube guide
限制垂直管水平位移但允许管子轴向膨胀的部件。

2.1.58 管架、管板　tube support, tube sheet
用于支承炉管的部件。

2.1.59 阻气层　vapour barrier
放置在耐火层之间的金属箔。

2.2 符　号

A_0——烟囱底部截面面积；
D_{AV}——距顶部 1/3 高度处烟囱壳体外径；
D_r——计算高度处烟囱内径；
D_0——烟囱底部外径；
D_1——烟囱顶部外径；
E——钢材在设计温度下的弹性模量；
e——以燃料低发热量为基准的热效率；
e_f——燃料效率；
e_g——总热效率；
f——烟囱横向振动频率；
f_1——第一自振频率；
H——烟囱高度；
H_s——加强圈间距；
Δh_a——燃烧空气带入显热修正值；
Δh_f——燃料带入显热修正值；
Δh_m——雾化剂带入显热修正值；
h_H——燃料的高发热量；
h_L——燃料的低发热量；
h_r——散热损失；
h_s——排烟热损失；
I——烟囱截面惯性矩；
I_0——烟囱底部截面惯性矩；
m——烟囱单位高度平均质量；
r_0——烟囱底部回转半径；
S_r——斯脱罗哈数；
t_r——扣除腐蚀裕量的壁板厚度；
v_c——临界风速；

v_{C0}——计算高度处发生椭圆变形的临界风速；

Z_r——截面模量；

β_d——结构用钢的弹性模量折减系数；

γ——烟囱考虑衬里材料后的折算密度；

γ_s——结构用钢的强度折减系数；

δ——允许垂直偏差；

σ_a——加强圈在设计温度下的许用抗拉强度。

3 基本规定

3.0.1 加热炉的设计和选型应符合工艺过程对加热炉的要求。

3.0.2 加热炉及其主要附属设备的设计条件和要求宜按本规范附录 A 给出的标准格式编写。

3.0.3 炉管和急弯弯管壁厚应按现行行业标准《炼油厂加热炉炉管壁厚计算方法》SH/T 3037 的规定确定。加热炉其他受压部件的设计应符合现行国家标准《压力容器》GB 150、《压力管道规范 工业管道》GB/T 20801、《水管锅炉 第 4 部分:受压元件强度计算》GB/T 16507.4 的有关规定。

3.0.4 加热炉炉管支承件的强度应满足本规范附录 B 的要求。

3.0.5 加热炉用通风机和驱动机的设计和制造等应符合本规范附录 C 的规定。

3.0.6 加热炉用空气预热系统应按本规范第 13 章的要求进行设计。

3.0.7 加热炉钢结构的设计应符合国家现行标准《钢结构设计规范》GB 50017、《建筑结构荷载规范》GB 50009、《建筑抗震设计规范》GB 50011、《石油化工钢制设备抗震设计规范》GB 50761 和《石油化工管式炉钢结构设计规范》SH/T 3070 的有关规定。

3.0.8 加热炉的热效率测定应按本规范附录 D 的要求执行。

3.0.9 加热炉钢烟囱应按本规范第 11 章的要求设计,并应符合现行国家标准《烟囱设计规范》GB 50051 的有关规定。

4 设计要求

4.1 工艺设计

4.1.1 加热炉设计应使传热量分布均匀,多管程加热炉设计应使各管程水力学对称。

4.1.2 加热炉炉管每管程从入口到出口宜为单一流路。

4.1.3 辐射盘管管心距宜按 2 倍炉管公称直径布置。

4.1.4 炉管任何部位的内膜温度不应高于最高允许内膜温度。

4.1.5 当直接受火焰辐射时,第一排遮蔽管应按辐射管束确定其平均热强度。

4.2 燃烧设计

4.2.1 燃料效率的计算应以燃料的低发热量为基准,并按放热量的 1.5% 计算散热损失。当有空气预热系统时,应按放热量的 2.5% 计算散热损失。

4.2.2 热效率计算基准应符合表 4.2.2 的规定。

表 4.2.2 过剩空气量(%)

加热炉运行状态	烧气时过剩空气量	烧油时过剩空气量
自然通风	20	25
强制通风	15	20

4.2.3 加热炉热效率和管壁温度计算应计及污垢热阻。热效率测定应按本规范附录 D 规定的方法进行。

4.2.4 设计负荷下的体积放热量,烧油时不应超过 $125kW/m^3$,烧气时不应超过 $165kW/m^3$。

4.2.5 烟囱和烟气系统的设计应使辐射顶或抽力最低处(通常在遮蔽段以下)在设计过剩空气系数、烟囱设计温度和正常放热量的

120%条件下,压力不应大于-25Pa。

4.3 机械设计

4.3.1 加热炉进行机械设计时,应综合计及所有规定的操作条件。

4.3.2 对流段炉管布置宜设置吹灰器、水洗或吹扫喷枪的安装空间。对流段宜设置检修孔。

4.3.3 当设计的加热炉烧重质燃料油时,对流段应设置吹灰器;烧轻质燃料油(如石脑油)时,对流段可不设置吹灰器。

4.3.4 对流段端管板和中间管板的设计宜预留两排管子的空间。设置吹灰器和清扫孔时应计及预留管子的位置。端管板上预留的开孔应封堵。

4.3.5 立式圆筒加热炉最大的高径比应符合表4.3.5的规定。

表4.3.5 高 径 比

设计吸热量 (MW)	h/d (最大)	h/d (最小)
<3.5	2.00	1.50
3.5~7	2.50	1.50
>7	2.75	1.50

4.3.6 对于单面辐射、炉管靠墙排列、底烧箱式加热炉,炉墙的净高度 h 与管排间宽度 w 的比值(高宽比 h/w)限制应符合表4.3.6的规定。

表4.3.6 高 宽 比

设计吸热量 (MW)	h/w (最大)	h/w (最小)
<3.5	2.00	1.50
3.5~7	2.50	1.50
>7	2.75	1.50

注:对于斜墙加热炉或含有斜墙的加热炉,h/w比值由设计方确定。h为辐射段净高(耐火层内表面),d为炉管节圆直径,二者计量单位应相同。

4.3.7 遮蔽段不应少于三排光管。

4.3.8 除第一排遮蔽管外,对流段设计时应设置折流体。

4.3.9 底烧加热炉从地面到燃烧器风箱或调风器的最小净空宜为2m。

4.3.10 立管底烧加热炉的辐射管直段长度不应大于18.3m,水平管两端烧加热炉的辐射管直段长度不应大于12.2m。

4.3.11 辐射炉管从中心线至耐火隔热层内表面的最小距离应为炉管公称直径的1.5倍,且净空不应小于100mm;对于水平辐射管,从炉底耐火层上表面至炉管外壁的净空不应小于300mm。

5 炉 管

5.1 一 般 规 定

5.1.1 炉管壁厚的确定应符合现行行业标准《炼油厂加热炉炉管壁厚计算方法》SH/T 3037 的规定。

5.1.2 炉管壁厚计算应计及材料的冲蚀和腐蚀裕量,常用材料的最小腐蚀裕量应符合表 5.1.2 的规定。

表 5.1.2 常用材料的最小腐蚀裕量(mm)

材料类别	ASTM 标准	腐蚀裕量
碳钢	A53,A106 Gr.B	3.0
碳钢 $-1/2$ Mo	A335 Gr.P1	
$1\tfrac{1}{4}$ Cr $-1/2$ Mo	A335 Gr.P11	2.0
$2\tfrac{1}{4}$ Cr $-$ 1Mo	A335 Gr.P22	
3Cr $-$ 1Mo	A335 Gr.P21	
5Cr $-1/2$ Mo	A335 Gr.P5	
5Cr $-1/2$ Mo $-$ Si	A335 Gr.P5b	
9Cr $-$ 1Mo	A335 Gr.P9	
9Cr $-$ 1Mo $-$ V	A335 Gr.P91	
18Cr $-$ 8Ni	A312,A376 TP304,TP304H 和 TP304L	1.0
16Cr $-$ 12Ni $-$ 2Mo	A312,A376 TP316,TP316H 和 TP316L	
18Cr $-$ 10Ni $-$ 3Mo	A312,TP317 和 TP317L	
18Cr $-$ 10Ni $-$ Ti	A312,A376 TP321 和 TP321H	
18Cr $-$ 10Ni $-$ Nb[a]	A312,A376 TP347 和 TP347H	

5.1.3 最高管壁金属温度应符合现行行业标准《炼油厂加热炉炉管壁厚计算方法》SH/T 3037 的规定。设计管壁金属温度应等于

最高管壁金属温度加温度裕量,温度裕量不应小于15℃。

5.1.4 炉管应采用无缝钢管,未经采购方或设计方的书面批准,制造厂不应采用拼接方式达到要求的炉管长度。

5.1.5 伸入弯头箱内的炉管,在冷态下其伸出两端管板外表面的长度不应小于150mm,且光管部分长度不应小于100mm。

5.1.6 炉管外径宜按本规范表6.1.5选取。

5.1.7 当遮蔽管和辐射管加热同一种介质,直接受火焰辐射的遮蔽管应采用与其相连的辐射管相同的材质。

5.1.8 炉管材料应符合设计文件的规定,常用的ASTM炉管材料可按表5.1.8选取。

表5.1.8 常用的ASTM炉管材料

材料类别	ASTM标准	ASTM标准
碳钢	A53,A106 Gr.B	A192,A210 Gr.A-1
碳钢$-\frac{1}{2}$Mo	A335 Gr.P1	A209 Gr.T1
$1\frac{1}{4}$Cr$-\frac{1}{2}$Mo	A335 Gr.P11	A213 Gr.T11
$2\frac{1}{4}$Cr$-$1Mo	A335 Gr.P22	A213 Gr.T22
3Cr$-$1Mo	A335 Gr.P21	A213 Gr.T21
5Cr$-\frac{1}{2}$Mo	A335 Gr.P5	A213 Gr.T5
5Cr$-\frac{1}{2}$Mo$-$Si	A335 Gr.P5b	A213 Gr.T5b
9Cr$-$1Mo	A335 Gr.P9	A213 Gr.T9
9Cr$-$1Mo$-$V	A335 Gr.P91	A213 Gr.T91
18Cr$-$8Ni	A312,A376 TP304,TP304H和TP304L	A213 TP304,TP304H和TP304L
16Cr$-$12Ni$-$2Mo	A312,A376 TP316,TP316H和TP316L	A213 TP316,TP316H和TP316L
18Cr$-$10Ni$-$3Mo	A312,TP317和TP317L	A213 TP317和TP317L

续表 5.1.8

材料类别	ASTM 标准	ASTM 标准
18Cr-10Ni-Ti	A312，A376 TP321 和 TP321H	A213 TP321 和 TP321H
18Cr-10Ni-Nb[1]	A312，A376 TP347 和 TP347H	A213 TP347 和 TP347H
镍合金 800H/800HT[2]	B407	B407
25Cr-20Ni	A608 GrHK 40	A213 TP310H

注：1 以前称之为 Cb。
　　2 最小晶粒规格为 ASTM ♯5 或更粗。

5.2 扩面部分

5.2.1 对流段的扩面部分可采用钉头和翅片形式。

5.2.2 不同材质扩面部分的最高使用温度应按表5.2.2选取。

表 5.2.2 不同材质扩面部分的最高使用温度(℃)

材 质	钉头	翅片
碳钢	510	454
$2\frac{1}{4}$Cr-1Mo，5Cr-$\frac{1}{2}$Mo	593	549
11Cr 至 13Cr	649	593
18Cr-8Ni 不锈钢	815	815
25Cr-20Ni 不锈钢	982	982

5.2.3 扩面部分尺寸应符合表5.2.3的规定。

表 5.2.3 扩面部分尺寸

燃料	钉头		翅片		
	最小直径 (mm)	最大高度 (mm)	最小公称厚度 (mm)	最大高度 (mm)	最大密度 (片/m)
气体	12	25	1.3	25	197
油	12	25	2.5	19	118

6 弯 头

6.1 一 般 规 定

6.1.1 弯头的许用应力不应高于现行行业标准《炼油厂加热炉炉管壁厚计算方法》SH/T 3037 中相同材料的许用应力。铸件制成的弯头,材料的许用应力还应乘以铸造质量系数,铸造质量系数应按现行国家标准《压力管道规范 工业管道 第 2 部分:材料》GB/T 20801.2 的规定选取。

6.1.2 除设计文件规定外,弯头的材质应与炉管相同。

6.1.3 根据用途和操作条件,弯头形式可采用急弯弯管或堵头式回弯头,急弯弯管和堵头式回弯头应与炉管焊接。

6.1.4 所有弯头的壁厚应包括腐蚀裕量,该裕量不得小于炉管采用的腐蚀裕量。

6.1.5 弯头管心距可按表 6.1.5 选用,宜优先选用 A 系列。

表 6.1.5 弯头管心距(mm)

炉管公称直径	管外径	管 心 距		
		A 系列	B 系列	C 系列
50	60.3	101.6	150	120
65	73.0	127.0		
80	88.9	152.4	178	150
90	101.6	177.8	203	172
100	114.3	203.2	230	—
—	127.0	228.6	250	215
125	141.3	254.0	282	

续表 6.1.5

炉管公称直径	管外径	管 心 距		
		A系列	B系列	C系列
—	152.4	279.4	304	275
150	168.3	304.8	336	—
—	193.7	355.6	—	—
200	219.1	406.4	438	372
250	273.1	508.0	546	478

6.2 堵头式回弯头

6.2.1 堵头式回弯头应放置在弯头箱内,其设计压力应与所连接的炉管相同,设计温度应为该处介质的最高操作温度至少再加上30℃。

6.2.2 炉管和堵头式回弯头的布置应留有足够的现场维修、焊接、消除应力热处理空间。

6.2.3 当需要对炉管进行机械清焦或清垢时,应选用双孔的堵头式回弯头。当仅需对炉管进行检测和排污时,可选用单孔180°堵头式回弯头。

6.2.4 在长度大于或等于18.3m的水平管上采用回弯头时,盘管的两端应采用双孔的堵头式回弯头。对于较短的炉管,盘管的一端可采用堵头式回弯头,另一端可采用焊接急弯弯管。

6.2.5 垂直炉管采用堵头式回弯头时,炉管的顶部应安装双孔的堵头式回弯头,底部应安装单孔Y形弯头。

6.2.6 回弯头和相应的堵头应打上12mm高的永久性匹配标记,并应按弯头的位置图进行安装。

6.2.7 当需要测量管内介质温度时,应在弯头的堵头上装设304型不锈钢热电偶接头。

6.2.8 回弯头的管心距可按表6.1.5的规定选用。

6.2.9 堵头和压紧螺栓与回弯头组装时,应使用与密封座和螺孔相匹配的部件。

6.3 急弯弯管

6.3.1 当具备下列条件时宜采用急弯弯管:
   1 管内介质干净,在炉管管内不易结焦或结垢;
   2 管内介质泄漏后易燃烧,易污染环境;
   3 炉管采用蒸汽-空气烧焦;
   4 采用机械清管器清焦。

6.3.2 炉内的急弯弯管,其设计压力和温度应与所连接的炉管相同。弯头箱内的急弯弯管,其设计压力与相连的炉管相同,设计温度应等于该处介质的最高操作温度至少再加上30℃。急弯弯管的壁厚至少与所连接的炉管壁厚相同。

6.3.3 焊接急弯弯管安放位置的设置,应便于炉管和急弯弯管的抽出和更换。

6.3.4 不得采用纵焊缝的急弯弯管。

6.4 材　料

6.4.1 堵头式弯头和急弯弯管的材质应符合设计文件的规定,常用材料应符合表6.4.1的要求。

表6.4.1 堵头式弯头和急弯弯管材料

材　料	ASTM 规范		
	锻件	轧制或冷拔件	铸件
碳钢	A105 A181　60级 或70级	A234　WPB	A216　WCB
C-$\frac{1}{2}$Mo	A182　F1	A234　WP1	A217　WC1
$1\frac{1}{4}$Cr-$\frac{1}{2}$Mo	A182　F11	A234　WP11	A217　WC6

续表 6.4.1

材　料	ASTM 规范		
	锻件	轧制或冷拔件	铸件
$2^1/_4Cr-1Mo$	A182　F22	A234　WP22	A217　WC9
$3Cr-1Mo$	A182　F21	—	—
$5Cr-^1/_2Mo$	A182　F5	A234　WP5	A217　C5
$9Cr-1Mo$	A182　F9	A234　WP9	A217　C12
$9Cr-1Mo-V$	A182　F91	A234　WP91	A217　C12A
18Cr - 8Ni Type 304	A182　F304	A403　WP304	A351　CF8
18Cr - 8Ni Type 304H	A182　F304H	A403　WP304H	A351　CF8
18Cr - 8Ni Type 304L	A182　F304L	A403　WP304L	A351　CF8
16Cr - 12Ni - 2Mo Type 316	A182　F316	A403　WP316	A351　CF8M
16Cr - 12Ni - 2Mo Type 316H	A182　F316H	A403　WP316H	A351　CF8M
16Cr - 12Ni - 2Mo Type 316L	A182　F316L	A403　WP316L	A351　CF3M
18Cr - 10Ni - 3Mo Type 317	A182　F317	A403　WP317	—
18Cr - 10Ni - 3Mo Type 317L	A182　F317L	A403　WP317L	—
18Cr - 10Ni - Ti Type 321	A182　F321	A403　WP321	—

续表 6.4.1

材 料	ASTM 规范		
	锻件	轧制或冷拔件	铸件
18Cr - 10Ni - Ti Type 321H	A182 F321H	A403 WP321H	—
18Cr - 10Ni - Nb Type 347	A182 F347	A403 WP347	A351 CF8C
18Cr - 10Ni - Nb Type 347H	A182 F347H	A403 WP347H	A351 CF8C
Nickel alloy 800H/ 800[1]	B564	B366	A351 CT - 15C
25Cr - 20Ni	A182 F310	A403 WP310	A351 CK - 20 A351 HK40

注:[1] 最小晶粒规格为 ASTM ♯5 或更粗。

6.4.2 铸造弯头应在弯头上标出材料标记,可用凸字或低应力戳印。

7 配管、端部接头和集合管

7.0.1 最小腐蚀裕量应符合本规范第 5.1.2 条的规定。

7.0.2 法兰应采用带颈对焊法兰。

7.0.3 当需要对管线进行检查时,应采用端部法兰。

7.0.4 加热炉的管线不应采用螺纹连接。

7.0.5 集合管和外部管线的布置应不妨碍炉管的拆卸。

7.0.6 位于弯头箱内的集合管,其设计压力应与相连接的炉管相同,设计温度不应低于该处的最高介质温度加上 30℃ 的温度裕量。

7.0.7 外部转油线应采用与上游炉管相同的材质,加热炉辐射室内部的跨接管线应采用与辐射炉管相同的材质。

8 炉管支承件

8.1 一般规定

8.1.1 与烟气接触的炉管支承件,其设计温度的确定应符合下列规定:

  1 位于辐射段、遮蔽段且暴露于耐火材料外的支承件,其设计温度等于烟气温度加100℃,且最低设计温度不应低于870℃;

  2 被管排遮蔽的辐射管架设计温度可采用火墙温度;

  3 位于对流段的支承件,设计温度应等于相接触的烟气温度加55℃;

  4 穿过每块对流中间管板的烟气温度梯度不应超过222℃。

8.1.2 炉管导向架、水平辐射管的中间管架和垂直辐射管的顶部管架应设计成允许更换管架而无需移动炉管,且耐火层修复量最少的结构。

8.1.3 水平管两支承点间的炉管最大悬空长度应为35倍炉管外径或6m,且应取二者较小值。

8.1.4 与烟气相接触的管架和导向架表面的最小腐蚀裕量应符合下列规定:

  1 奥氏体材料最小腐蚀裕量应为1.3mm;

  2 铁素体材料最小腐蚀裕量应为2.5mm。

8.1.5 弯头箱内的端管板应符合下列规定:

  1 端管板应为结构钢板,管板设计温度不高于425℃时可选用碳钢材料,高于425℃时应选用合金材料;

  2 管板的最小厚度应为12mm;

  3 端管板与烟气相接触侧应采用浇注料进行隔热,其最小厚度:对流段应为75mm,辐射段应为125mm,锚固件的材质应采用本规范表 9.1.10 规定的奥氏体不锈钢或镍合金；

4 端管板上每个管孔应焊上套管，其套管内径应比炉管或扩面管的外径大 12mm，套管材质应为奥氏体不锈钢。

8.1.6 对于扩面管的支承应符合下列规定：

1 中间管板的设计应防止管板对扩面管造成机械损坏，应易于炉管的抽出和插入且不能咬合；

2 对于钉头管，每个管板上的支承不应少于三排钉头；

3 对于翅片管，每个管板上的支承不应少于五圈翅片。

8.2 荷载和许用应力

8.2.1 管板荷载应按下列规定确定：

1 应按多点支承连续梁的分析方法计算荷载，计算摩擦荷载时，摩擦系数至少应取 0.30；

2 计算摩擦荷载时应按所有炉管向相同的方向膨胀和收缩计算，不计及管子反向移动引起的荷载抵消或减少。

8.2.2 设计温度下管架最大许用应力应符合下列规定：

1 静荷载应符合下列规定：

1）不应超过抗拉强度的 1/3；

2）不应超过屈服强度(0.2%残余变形)的 2/3；

3）10,000h 产生 1%蠕变时，不应超过平均应力的 50%；

4）10,000h 发生断裂时，不应超过平均应力的 50%。

2 静荷载加摩擦荷载应符合下列规定：

1）不应超过抗拉强度的 1/3；

2）不应超过屈服强度(0.2%残余变形)的 2/3；

3）10,000h 产生 1%蠕变时，不应超过平均应力；

4）不应超过 10,000h 发生断裂的平均应力。

8.2.3 铸件确定铸造厚度时，许用应力应乘以铸造质量系数 0.8。

8.2.4 许用应力值应符合本规范附录 B 的规定。

8.3 材 料

8.3.1 炉管支承件的材料宜根据最高设计温度按表8.3.1选择。

表8.3.1 炉管支承件材料的最高设计温度

材料	ASTM 规范		高设计温度（℃）
	铸件	钢板	
碳钢	A216 Gr WCB	A283 Gr C	427
$2\frac{1}{4}Cr-1Mo$	A217 Gr WC9	A387 Gr 22 Class 1	649
$5Cr-\frac{1}{2}Mo$	A217 Gr C5	A387 Gr 5 Class 1	649
19Cr-9Ni	A297 Gr HF	A240 Type 304H	816
25Cr-12Ni	—	A240 Type 309H	871
25Cr-12Ni	A447 TypeⅡ	—	982
25Cr-20Ni	—	A240 Type 310H	871
25Cr-20Ni	A351 Gr HK40	—	1093
50Cr-50Ni-Nb	A560 Gr 50Cr-50Ni-Nb	—	982

8.3.2 当炉管支承件设计温度超过650℃且燃料中钒和钠的总含量超过100mg/kg时,应采用下述方法之一进行设计:

1 不用任何涂料,使用稳定化的50Cr-50Ni-Nb合金;

2 对于辐射或易拆修的管架,覆盖一层厚度为50mm、密度至少为2,080kg/m³的耐火浇注料。

9 耐火和隔热

9.1 一般规定

9.1.1 耐火和隔热材料应依据预期的操作温度和材料等级温度进行选择。

9.1.2 在无风、环境温度为27℃的条件下,辐射段、对流段和烟风管道的外壁温度不应超过82℃。辐射段底部外表面温度不应超过90℃。

9.1.3 炉墙、炉顶和炉底的设计应允许所有部件适当膨胀。采用多层或复合衬里时,其接缝不得连续贯穿衬里。

9.1.4 耐火材料的设计温度应等于计算热面温度加设计裕量。任一层的耐火材料设计温度应高于计算热面温度165℃。辐射段和遮蔽段耐火材料的最低设计温度应为982℃。

9.1.5 炉底的热面层应采用65mm厚的高强耐火砖或75mm厚的浇注衬里,衬里的等级温度级别应达到1370℃,经110℃干燥后冷态耐压强度至少应为3450kN/m^2。

9.1.6 燃烧器砖的最低等级温度应为1650℃。

9.1.7 持续受火焰直接冲击的砖墙,应采用等级温度不小于1540℃的耐火砖砌筑。

9.1.8 燃烧器耐火材料预制块、砖及预烧成型制品的周围应留有膨胀缝。

9.1.9 除运输需要外,炉底浇注料可不设置锚固件。

9.1.10 锚固件顶部的最高温度应符合表9.1.10的规定。

表9.1.10 锚固件顶部的最高温度

锚固件材质	锚固件顶部最高温度(℃)
碳钢	455
TP 304 不锈钢	760

续表 9.1.10

锚固件材质	锚固件顶部最高温度(℃)
TP 316 不锈钢	760
TP 309 不锈钢	815
TP 310 不锈钢	927
TP 330 不锈钢 1Cr16Ni35 N08330	1038
Alloy 601(UNSN06601)	1093
陶瓷钉和垫片	>1093

9.2 砖 结 构

9.2.1 承重墙、炉底或热面层可采用砖结构。

9.2.2 辐射段自支承式承重墙的墙基应直接置于炉底钢结构上，不应置于其他耐火材料上。墙高不应超过7.3m。底部的最小宽度应为墙高的8%，高度方向上每段墙的高宽比不应超过5:1。

9.2.3 承重墙应采用耐火泥砌筑。耐火泥的化学成分和温度等级应与相连接的耐火砖匹配。

9.2.4 承重墙端部和中间位置应设置竖向膨胀缝。

9.2.5 炉底耐火砖应干砌。

9.2.6 非持续受火焰直接冲击的砖墙，其最低等级温度应为1430℃；对于其他暴露的砖墙，最低等级温度应为1260℃。

9.2.7 位于竖向、平面炉壁板上的所有砖墙，应有不少于15%的砖被牵拉。除位于背衬层内的导管可采用碳钢外，其余的拉砖件应是奥氏体合金材料。对圆筒形壳体，当壳体的曲率半径能啮合耐火砖时可不用拉砖钩。

9.2.8 位于竖向、平面炉壁板上的所有砖墙，当高度高于1.8m时，宜设置托砖板，其材质应根据计算工作温度选用。托砖板间距不应大于1.8m，托砖板应设置膨胀槽。

9.2.9 在砖墙的垂直和水平两个方向上、墙的边缘、燃烧器砖、门和接头的周围等均应留出膨胀缝。

9.3 浇注料衬里结构

9.3.1 双层浇注料衬里热面层的厚度不应小于75mm。

9.3.2 浇注料衬里厚度大于50mm时，锚固件的高度至少应贯穿该层衬里厚度的70%，其顶部距热表面的距离应大于12mm。

9.3.3 锚固件应方形布置，最大间距应为衬里总厚度的3倍，但在炉壁上的锚固件间距不应超过300mm，在炉顶上的锚固件间距不应超过225mm。锚固件的叉口方向应交错排列。

9.3.4 锚固钉的直径不应小于5mm。

9.3.5 弯头箱、尾部烟道、烟风道和烟囱的衬里厚度不宜小于50mm。

9.3.6 厚度不大于50mm的衬里，可采用钢板网或钢丝网锚固。

9.3.7 当燃料中重金属总量大于100mg/kg时，应采用铁含量不大于1.5%的低铁浇注料。

9.3.8 当燃料中钠及重金属总量大于250mg/kg时，暴露的热面层应采用低铁或重质浇注料。重质浇注料中Al_2O_3的含量不应小于40%，SiO_2的含量不应大于35%，其密度不应小于1800kg/m³。

9.4 陶瓷纤维结构

9.4.1 用于热面层的陶瓷纤维毯厚度不应小于25mm，密度不应小于128kg/m³。若陶瓷纤维板用于热面层，厚度不应小于38mm，密度不应小于240kg/m³。用做背层的陶瓷纤维毯密度不应小于96kg/m³。

9.4.2 任何一层陶瓷纤维的等级温度不应小于计算的热面温度加280℃。

9.4.3 陶瓷纤维毯热面层的锚固件至所有边沿的最大距离应为75mm。

9.4.4 炉顶层铺毯锚固件应按长方形排列，其最大间距应符合下列规定：

  1 毯宽 300mm：间距应为 150mm×225mm；
  2 毯宽 600mm：间距应为 225mm×225mm；
  3 毯宽 900mm：间距应为 225mm×250mm；
  4 毯宽 1200mm：间距应为 225mm×270mm。

9.4.5 炉壁锚固件按长方形排列，其最大间距应符合下列规定：
  1 毯宽 300mm：间距应为 150mm×225mm；
  2 毯宽 600mm：间距应为 225mm×300mm；
  3 毯宽 1200mm：间距应为 270mm×300mm。

9.4.6 没有炉管遮蔽的金属锚固件，应由陶瓷纤维块完全覆盖或用填塞可塑性陶瓷纤维的陶瓷杯保护。

9.4.7 当烟气流速不大于 12m/s 时，热面层可采用陶瓷纤维层铺毯；当流速不大于 24m/s 时，热面层可采用陶瓷纤维板、陶瓷纤维模块或整体成型的陶瓷纤维模块；当流速大于 24m/s 且热面层采用陶瓷纤维结构时，应设置保护层。

9.4.8 陶瓷纤维毯施工时，应使其最大尺寸方向与烟气流动方向一致，毯在热面层上的连接应是搭接，搭接方向顺着烟气流动方向。热面层用陶瓷纤维板时，接缝应严密。

9.4.9 用于背层的陶瓷纤维毯应在接缝处采用压缩量至少为 25mm 的对接缝，相邻各层间的所有接缝应错开。

9.4.10 陶瓷纤维模块应按竖缝立砌（压缝）法进行施工，交错镶嵌法仅适用于炉顶。

9.4.11 陶瓷纤维模块施工时，应对纤维模块周边进行预压缩。

9.4.12 炉顶上的陶瓷纤维模块应设计为其锚固范围至少大于模块宽度的 80%。

9.4.13 在陶瓷纤维模块施工之前，应将锚固件固定在壁板上。

9.4.14 锚固件组合件应装在距陶瓷纤维模块冷表面小于 50mm 处。

9.4.15 整体成型的陶瓷纤维模块的锚固方式可采用中心孔式与侧插式进行固定。

9.4.16 整体成型的陶瓷纤维模块间可不设置补偿毯,炉顶部位的锚固件应采用交错的排列方式。

9.4.17 整体成型的陶瓷纤维模块可不设置背衬纤维毯。

9.4.18 模块内的金属附件应为奥氏体不锈钢或镍基合金,可根据本规范表9.1.10确定材料的温度适用范围。

9.4.19 锚固件应在壁板涂覆防护涂料之前安装就位。涂料应覆盖锚固件,未覆盖部分的温度应在酸露点温度以上。

9.4.20 陶瓷纤维结构用于含硫量大于10mg/kg的燃料时,壳体的内表面应涂一层防护涂料,防护涂料的最高使用温度不应低于175℃。

9.4.21 燃料中的含硫量超过500mg/kg时,应设置阻气层,阻气层的位置应使得在所有操作工况下,阻气层处的温度至少高出计算酸露点温度55℃。阻气层边缘重叠不应小于100mm,边缘和穿(开)孔处应密封。

9.4.22 燃料中重金属含量超过100mg/kg时,不得采用陶瓷纤维结构。

9.5 复合衬里结构

9.5.1 浇注料层的最小厚度宜为75mm。

9.5.2 每层衬里均应有锚固系统固定和支承。

9.5.3 对每种炉衬,锚固件的形式和安装应符合本规范第9.1.9条至第9.4节的相关要求。

9.5.4 任何一层所用的材料工作温度应符合本规范第9.1.4条和第9.4.2条的要求。

9.5.5 砖可用于热面层、背衬层。

9.5.6 当采用硅酸钙或矿渣棉制品作为背衬材料时,其等级温度不应低于983℃。当液体燃料中硫的含量(质量分数)大于1%或气体燃料中硫化氢的含量大于100mg/kg时,不应采用硅酸钙或矿渣棉制品。炉底不应采用硅酸钙或矿渣棉制品作为背衬。

9.5.7 当燃料中含硫量超过 10mg/kg 采用硅酸钙或矿渣棉制品、陶瓷纤维作为背衬保温时,壁板上应涂覆防护涂料,防护涂料的最高使用温度不应小于 175℃。

9.5.8 当采用硅酸钙或矿渣棉制品、陶瓷纤维毯作为浇注料的背衬层时,应采取防水措施。

9.5.9 用做背衬材料的硅酸钙或矿渣棉制品和陶瓷纤维毯的最小密度应为 $128kg/m^3$。

10 钢结构和附件

10.1 一般规定

10.1.1 钢结构和附件设计应满足运输、安装和操作过程中的各种荷载条件，应计及永久荷载、风荷载、活荷载、地震作用和温度作用等，以及寒冷气候条件及加热炉停工时的影响。

10.1.2 钢结构和附件的设计金属温度应为计算金属温度加上55℃。计算金属温度应按无风、环境温度为27℃时各种操作工况下的最高烟气温度确定。

10.1.3 钢结构设计应计及设计温度对材料屈服强度和弹性模量的影响。钢结构用钢在不同温度下的强度和弹性模量应采用其常温值乘以折减系数，折减系数应符合表10.1.3-1和表10.1.3-2的规定。

表10.1.3-1 结构用钢的强度折减系数 γ_s

系数	钢材牌号	作用温度(℃)						
		≤100	150	200	250	300	350	400
γ_s	Q235,Q345,Q390,Q420	1.00	0.92	0.88	0.83	0.78	0.72	0.65

注：温度为中间值时，应采用线性插值法计算。

表10.1.3-2 结构用钢的弹性模量折减系数 β_d

系数	作用温度(℃)						
	≤100	150	200	250	300	350	400
β_d	1.00	0.98	0.96	0.94	0.92	0.88	0.83

注：温度为中间值时，应采用线性插值法计算。

10.1.4 钢结构和附件的材料应满足在加热炉停工时规定的最低

环境温度下所有荷载条件的要求。

10.2 结 构

10.2.1 炉管和弯头的所有荷载应由钢结构支承,不得传到耐火材料上。

10.2.2 钢结构设计应允许所有加热炉部件水平和垂直膨胀。

10.2.3 加热炉壁板最小厚度应为5mm,且应设加强筋以防翘曲。当壁板用于承受弯曲应力时,其最小厚度应为6mm。炉底板和辐射段顶板最小厚度应为6mm。

10.2.4 炉顶设计应计及雨水排放,通过布置构件和排水孔、采用斜坡或防雨棚等达到排水要求。当采用斜顶时,应设檐口和山墙。

10.2.5 加热炉防火层的设置应符合现行国家标准《石油化工企业设计防火规范》GB 50160 的规定。

10.2.6 当急弯弯管位于水平管加热炉炉膛内时,在炉体上应设置可拆卸的端墙板或侧墙板。

10.3 弯头箱、人孔和开孔

Ⅰ 弯 头 箱

10.3.1 每个弯头箱内部净空间应满足炉管的全部膨胀要求。弯头箱门衬里与热态下弯头之间的最小净空距离应为75mm。

10.3.2 堵头式回弯头的弯头箱应采用铰链门或螺栓连接端板。

10.3.3 弯头箱和门的壁板最小厚度应为5mm,且应有加强筋。弯头箱宜可拆卸。

10.3.4 对流段弯头箱内宜每隔1.5m设置一道水平隔板。

10.3.5 所有弯头箱接缝处应采用垫片密封。出入口管及转油线穿出弯头箱的地方,管子周围开口处都应密封。

Ⅱ 人孔和开孔

10.3.6 箱式加热炉,每个辐射室应设置两个最小净空为600mm×600mm 的人孔。

10.3.7 立式圆筒加热炉炉底应设置一个最小净空为450mm×450mm或直径为450mm的人孔。在炉底通道下方的风箱上应设置一个用螺栓连接、带密封垫片的人孔门。当空间不够时，也可通过燃烧器孔出入。

10.3.8 对流段的人孔最小净空应为450mm×450mm。

10.3.9 在烟囱或烟道上应设置一个最小净空为450mm×450mm或直径450 mm的人孔。

10.3.10 在立管加热炉每个辐射段的顶部应设置一个最小净空为450mm×600mm的炉管吊装孔。

10.3.11 看火门、观察孔应能观察所有的辐射炉管以及燃烧器正常操作和点火时的火焰情况。

10.3.12 烟风道、风箱及所有与空气预热器和控制挡板相接的烟风道上应设置最小净空为450mm×450mm的人孔门。

10.4 直梯、平台和斜梯

10.4.1 以下位置宜设平台：
   1 不易接近的燃烧器和燃烧器调节机构处；
   2 挡板和吹灰器的维修和操作位置；
   3 看火门和辐射段人孔处；
   4 通风机、驱动机和空气预热器等辅助设备的操作和维修处；
   5 本规范第14.5节要求的所有位置。

10.4.2 平台的最小净宽应符合下列规定：
   1 操作平台最小净宽应为900mm；
   2 维修平台最小净宽应为900mm；
   3 过道最小净宽应为750mm。

10.4.3 斜梯踏步、平台铺板应为最小厚度6mm的花纹钢板或最小规格为25mm×5mm的格栅板。

10.4.4 每个操作平台的长度大于或等于6m时，应设不少于两个疏散口。

10.4.5 垂直高度每超过9m的直梯或高度每超过4.5m的斜梯,应设置一层间歇平台。

10.4.6 直梯应从距地面或平台2.3m起设置护圈。直梯进出平台处应设安全栏栅。

10.4.7 斜梯的最小宽度应为750mm。踏步的最小宽度应为240mm,踏板间距最大应为200mm。

10.4.8 平台、过道和斜梯之间的最小净空高度应为2.1m。

10.4.9 所有平台、过道和斜梯应设栏杆。

10.4.10 栏杆、直梯、斜梯和平台的布置不应影响炉管的维护,对有影响的部位应做成可拆卸式。栏杆、直梯、斜梯和平台的设计还应符合现行国家标准《固定式钢梯及平台安全要求》GB 4053的规定。

10.4.11 落地钢烟囱应为仪表点、环保采样点设置平台。在落地钢烟囱上不宜设置旋转梯。

11 烟囱、烟风道和尾部烟道

11.1 一 般 规 定

11.1.1 烟囱应为自承重式,并应与其支承的结构用螺栓连接。

11.1.2 烟囱中间各段应采用全熔透焊。

11.1.3 尾部烟道和烟风道可为螺栓连接或焊接结构。

11.1.4 与烟囱相连的外部附件应采用密封焊。

11.1.5 安装在混凝土上的烟囱、烟风道和尾部烟道的设计,应防止混凝土温度超过150℃。

11.1.6 烟囱和烟风道之间的连接不宜采用焊接。

11.1.7 烟囱宜设置浇注料衬里,浇注料衬里结构应符合本规范第9.3节的规定。烟囱顶部的内衬应设置衬里挡板。

11.1.8 烟囱、烟风道和尾部烟道上所有的开口和连接应密封。

11.1.9 尾部烟道在最后一排对流炉管之上应留有至少0.8m的净空。每12m对流炉管长度应至少设置一个烟气引出口。

11.1.10 烟囱、烟风道、尾部烟道应按运输、安装以及操作过程中可预见的所有荷载条件进行设计。荷载应包括永久荷载、风荷载、活荷载、地震作用、温度作用以及加热炉停工时的雪荷载和冰荷载等。

11.1.11 烟囱壁板设计厚度不应小于6mm。有内衬的烟囱最小腐蚀裕量应为2mm,无内衬的烟囱最小腐蚀裕量应为3mm。

11.1.12 烟囱的地脚螺栓不应少于8个。

11.1.13 烟囱如果需要吊耳,吊耳应按烟囱从水平位置吊到垂直位置的吊装荷载设计。

11.1.14 烟囱、烟风道和尾部烟道的设计金属温度应为计算金属温度加50℃,计算金属温度应按无风、环境温度27℃下各种操作工况的最高烟气温度计算。

11.1.15 烟风道和尾部烟道的最小壁板厚度应为5mm。

11.1.16 烟风道和尾部烟道应加强。有耐火浇注料的烟风道的变形不应超过跨度的1/360,其他烟风道的变形不应超过跨度的1/240。

11.2 静 态 设 计

11.2.1 烟囱应按悬臂梁设计。

11.2.2 静态设计不应计及衬里对烟囱、烟风道或尾部烟道的加强作用。

11.2.3 烟囱上开口的净宽不应超过烟囱直径的2/3。对于两个相对的开口,每个开口的弦长不应超过烟囱的半径。开口处应补强,以达到原截面的结构承载力。

11.2.4 烟囱壁板上的矩形开口,其拐角圆弧半径不应小于10倍的壁板厚度。

11.2.5 圆筒形烟囱变径段应按顶角小于或等于60°的锥体制作。

11.2.6 为承受环向弯矩,宜设置加强圈。

11.2.7 对无加强圈的圆筒壳,当R/t_r不大于160时,可忽略由风压引起的环向弯矩(R为筒体半径,t_r为扣除腐蚀裕量的壁板厚度)。

11.2.8 由风荷载产生的烟囱挠度不应大于烟囱高度的1/200。计算挠度所用厚度应等于壳壁厚度减去腐蚀余量的50%,且不应计及衬里厚度。

11.2.9 烟囱壳体在基础之上任意标高处的允许垂直偏差,应按下式计算:

$$\delta = \frac{h}{1000\sqrt{1+50/h}} \quad (11.2.9)$$

式中:δ——允许垂直偏差(m);

h——烟囱高度(m)。

11.3 风诱导振动的设计

11.3.1 烟囱对于风和地震作用的响应特性应通过动力分析确定。当没有提出特殊要求时,可采用本规范给出的方法。

11.3.2 风诱导振动设计(风振设计)时计算质量应包括烟囱衬里质量。

11.3.3 烟囱的临界风速可按下式计算:

$$v_c = fD_{AV}/S_r \qquad (11.3.3)$$

式中:v_c——临界风速(m/s);

f——烟囱横向振动频率(Hz);

D_{AV}——距顶部 1/3 高度处烟囱壳体外径(m);

S_r——斯脱罗哈数,取 0.2。

对第一振型:$v_{c1}=v_c$;

对第二振型:$v_{c2}=6v_{c1}$。

11.3.4 对固定在基础上、质量均匀分布、截面无变化的烟囱,烟囱横向振动频率可按下式计算:

$$f_i = k_i \sqrt{\frac{EI}{mH^4}} \qquad (11.3.4)$$

式中:f_i——第 i 自振频率(Hz);

k_i——常数,$k_1=0.5595$,$k_2=3.5067$,$k_3=9.8325$ 分别对应第一、第二、第三自振频率;

E——钢材在设计温度下的弹性模量(N/m^2);

I——烟囱截面惯性矩(m^4);

m——烟囱单位高度平均质量(kg/m);

H——烟囱高度(m)。

11.3.5 锥形烟囱的第一自振频率可按下列公式计算:

$$f_1 = \frac{r_0 \sqrt{E/\gamma}}{CH^2} \qquad (11.3.5\text{-}1)$$

$$r_0 = \sqrt{\frac{I_0}{A_0}} \qquad (11.3.5-2)$$

$$C = 0.719 + 1.069\alpha + [0.14 - 2.24(0.5-\alpha)^4]^{0.9} \qquad (11.3.5-3)$$

$$\alpha = D_1/D_0 \qquad (11.3.5-4)$$

式中：f_1——第一自振频率；

r_0——烟囱底部回转半径(m)；

γ——烟囱考虑衬里材料后的折算密度(kg/m³)；

I_0——烟囱底部截面惯性矩(m⁴)；

A_0——烟囱底部截面面积(m²)；

D_1——烟囱顶部外径(m)；

D_0——烟囱底部外径(m)。

11.3.6 在计算高度处，如果产生椭圆变形的临界风速小于设计风速，应设置加强圈以防止产生椭圆变形。计算高度处发生椭圆变形的临界风速及自振频率可按下列公式计算：

$$f_r = \frac{5.55 \times 10^{-6} \times t_r \sqrt{E}}{D_r^2} \qquad (11.3.6-1)$$

$$v_{co} = D_r f_r / 2S_r \qquad (11.3.6-2)$$

式中：f_r——自振频率(Hz)；

t_r——扣除腐蚀裕量的壁板厚度(mm)；

D_r——计算高度处烟囱内径(m)；

v_{co}——计算高度处发生椭圆变形的临界风速(m/s)。

所需加强圈的截面模量 Z_r 不应小于按下式计算的值：

$$Z_r = [(0.1082 \times 10^6) v_{co}^2 D_r^2 H_s]/\sigma_a \qquad (11.3.6-3)$$

式中：Z_r——截面模量(cm³)；

H_s——加强圈间距(m)；

σ_a——加强圈在设计温度下的许用抗拉强度(N/m²)。

11.3.7 风荷载的最小体形系数及有效直径可按表 11.3.7 取值。

表 11.3.7 风荷载的最小体形系数及有效直径

构件		体形系数	有效直径
烟囱	光滑柱面部分	0.7	计算截面的壳体外径
	梯子、平台及附件部分	1.0	整个投影面的宽度
	扰流构件部分	1.2	扰流构件外径
烟风道和尾部烟道	圆筒形	0.7	计算截面的壳体外径
	矩形	1.3	宽度

11.3.8 当烟囱第一振型的临界风速比最大设计风速（指烟囱顶端处 1h 的平均值）高 1.25 倍以上时，在设计荷载中可不包含由风引起的横向振动产生的动荷载。

11.3.9 当计算分析显示风引起了过大的横向振动时，应采用下列减震设施方法之一减小涡流引起的振动幅度：

    1 增加质量和结构的阻尼特性；
    2 使用质量减振器；
    3 使用空气动力学方法；
    4 改善烟囱的长度和（或）直径。

11.3.10 当使用扰流构件来化解风引起的振动时，扰流构件至少应在烟囱最上部三分之一的高度内设置。

11.3.11 螺旋扰流构件应由厚度为 6mm、间隔为 120° 的三条板绕成，其螺距宜为烟囱直径的 5 倍，板宽应为烟囱外径的 0.1 倍。

11.3.12 交错排列的直立扰流板厚度不应小于 6mm，长度不应大于 1.5m，三块板应沿烟囱的周向成 120° 布置，板宽应为烟囱外径的 0.1 倍。上下相邻位置的直立扰流板间应相互错开 30°。

12 燃烧器和辅助设备

12.1 燃 烧 器

12.1.1 燃烧器的设计、选用、间距、位置、安装和操作均应确保燃烧器在调节范围内火焰不舔炉管和管架,且火焰不能从加热炉的辐射段窜出。燃烧器的设计和操作应确保在辐射段内燃烧完全。

12.1.2 自然通风低NOx燃烧器的最小间距应符合表12.1.2-1的规定,强制通风低NOx燃烧器的最小间距应符合表12.1.2-2的规定。

表12.1.2-1 自然通风低NOx燃烧器的最小间距

燃烧器类型	每台燃烧器最大放热量(MW)	最小间距(m)			
		A 燃烧器至顶部炉管中心或耐火材料的垂直距离(仅对于垂直燃烧)	B 燃烧器中心至靠墙管中心的水平距离	C 燃烧器中心至无遮蔽耐火材料的水平距离	D 对烧燃烧器间的水平距离(水平安装时)
烧油	1.0	4.3	0.8	0.6	6.5
	1.5	5.6	0.9	0.7	8.8
	2.0	7.0	1.1	0.8	11.2
	2.5	8.3	1.2	1.0	13.3
	3.0	9.7	1.3	1.1	14.8
	3.5	11.0	1.4	1.2	16.4
	4.0	12.4	1.6	1.4	18.0

续表 12.1.2-1

燃烧器类型	每台燃烧器最大放热量（MW）	最小间距(m)			
		A 燃烧器至顶部炉管中心或耐火材料的垂直距离(仅对于垂直燃烧)	B 燃烧器中心至靠墙管中心的水平距离	C 燃烧器中心至无遮蔽耐火材料的水平距离	D 对烧燃烧器间的水平距离（水平安装时）
烧气	0.5	2.6	0.6	0.4	3.4
	1.0	3.6	0.7	0.6	4.9
	1.5	4.6	0.8	0.7	6.5
	2.0	5.6	1.0	0.8	8.1
	2.5	6.7	1.1	1.0	9.6
	3.0	7.7	1.2	1.1	11.1
	3.5	8.7	1.4	1.2	11.9
	4.0	9.7	1.5	1.4	12.6
	4.5	10.7	1.6	1.5	13.4
	5.0	11.7	1.8	1.6	14.2

注：1 对于水平安装的燃烧器，燃烧器中心线与顶部炉管中心或耐火材料间的距离应比 B 列的数据大 50%。
2 对于油-气联合燃烧器，除仅在开工时烧油外，其间距应按烧油设计。
3 对于常规气体燃烧器(非低 NOx)，允许减少距离。A 列应乘以系数 0.77，D 列应乘以系数 0.67。
4 表中所列数据的中间值可用内插法查出。
5 对于烧天然气，过剩空气系数为 1.15 且炉膛温度为 870℃，NOx 的排放量低于 70mg/m³ 的燃烧器，A 列和 D 列的数据应增加 20%。
6 燃料气的组成会影响火焰长度。

表 12.1.2-2 强制通风低 NOx 燃烧器的最小间距

每台燃烧器的最大放热量 （MW）	燃烧器中心至靠墙炉管中心的水平距离 （m）
烧油	
2.00	0.932
3.00	1.182
4.00	1.359
5.00	1.520
6.00	1.664
8.00	1.919
10.00	2.143
12.00	2.346
烧气	
2.00	0.932
3.00	1.182
4.00	1.359
5.00	1.520
6.00	1.664
8.00	1.786
10.00	1.923
12.00	2.035

注：1 水平安装的燃烧器，燃烧器中心线与顶部炉管中心或耐火材料的距离应比表中的数据大50%。

2 对于油-气联合燃烧器，除仅在开工时烧油外，其间距应按烧油设计。

3 表中所列数据的中间值可用内插法查出。

4 由于缺乏相应的数据，其他间距本表未作规定。

5 当热强度接近允许的最高值时，可能需要增加表中所列间距。

12.1.3 燃烧器的设计、选用应符合下列规定：

1 对于底烧加热炉,燃烧器的数量和大小应确保可见火焰长度不超过辐射段高度的 2/3；

2 水平对烧时,直接对烧的可见火焰长度尖端的间距不应小于 1.2m；

3 在最大设计放热量条件下,辐射段出口处的一氧化碳含量,烧气时不应大于 $40mL/m^3$,烧油时不应大于 $80mL/m^3$。

12.1.4 燃烧器设计过剩空气系数下的最大放热量应符合下列规定：

1 当燃烧器数量少于或等于 5 台时,应为设计条件下正常放热量的 120%；

2 当燃烧器数量为 6 台或 7 台时,应为设计条件下正常放热量的 115%；

3 当燃烧器数量为 8 台或 8 台以上时,应为设计条件下正常放热量的 110%。

12.1.5 除非另有规定,每台燃烧器应有气体长明灯。

12.1.6 当配置了连续操作的长明灯时,应满足下列要求：

1 长明灯的最小放热量应为 22kW；

2 在主燃烧器整个燃烧过程中,长明灯应保持稳定,在主燃烧器燃料减少、抽力降低、助燃空气量不稳及所有操作条件下,长明灯也应保持稳定；

3 长明灯的安装位置和大小应确保它能够点燃任何一种主燃烧器燃料。

12.1.7 燃烧器砖应预先烘干,在安装后不需要进一步处理就可点火投用。由水基和含水材料制成的燃烧器砖,其预先烘干的温度不应小于 260℃。

12.1.8 应根据强度、温度、耐腐蚀性及预计的使用条件选择燃烧器的结构材料。燃烧器部件材料设计的最低要求应符合表 12.1.8 的规定。

表 12.1.8 燃烧器结构部件材料设计的最低要求

燃烧器及部件	部件	操作条件	材料
烧气(燃烧器和长明灯)	燃料气集合管和配管	正常	铸铁或碳钢
		H_2S 含量>100mg/kg 燃料温度>150℃	316L 不锈钢
	燃料气上升管	正常	碳钢
		助燃空气温度>370℃	304 不锈钢
		H_2S 含量>100mL/m³ 燃料温度>150℃	316L 不锈钢
		H_2S 含量>100mg/kg 助燃空气温度>205℃	
	燃料气喷嘴	正常	铸铁或 AISI 300 系列不锈钢
		H_2S 含量>100mg/kg 燃料温度>150℃	AISI 310 不锈钢
		H_2S 含量>100mg/kg 助燃空气温度>205℃	
	预混器	正常	铸铁或碳钢
烧油	油枪收油盘和枪体	正常	球墨铸铁
	油枪头	正常	AISI 416 不锈钢
		腐蚀性油	T-1 或 M2 工具钢
	雾化器	正常	黄铜或 AISI 300 系列不锈钢
		硫含量(质量分数)>3%	AISI 303 不锈钢
	雾化器座	腐蚀性油[1]	渗氮-硬化合金
	其他	正常	碳钢

续表 12.1.8

燃烧器及部件	部件	操作条件	材料
燃烧器壳体和其他部件	外部壳体	正常	碳钢
		助燃空气经过预热	碳钢,内设保温层
	稳焰器或稳焰锥	正常	AISI 300 系列不锈钢
	保温层或消音层	助燃空气≤370℃	矿物棉[2]
		助燃空气>370℃	矿物棉覆盖金属板[2]
	其他内部部件	正常	碳钢
		助燃空气>370℃	ASTM A242 或 AISI 304 不锈钢
	燃烧器耐火砖	正常	氧化铝>40%的耐火制品
		高强燃烧器	氧化铝>85%的浇注料或耐火砖
	烧油燃烧器耐火砖	V+Na 含量≤50mg/kg	氧化铝≥60%的耐火制品
		V+Na 含量>50mg/kg	氧化铝≥90%的耐火制品

注:1 腐蚀性的燃料油是指含硫量(质量分数)不小于3%、含催化剂粉尘或其他颗粒的燃料油。
    2 烧油时,可能被燃料油浸润的表面使用浇注料。

12.1.9 燃烧器应在最大放热量33%的条件下保持火焰稳定而不需要调节燃烧空气量。

12.1.10 在最大设计工况下,燃烧器所消耗的抽力不应小于最大放热量下可利用抽力的90%,不小于75%的可利用抽力应消耗在燃烧器的喉口部位。

12.1.11 燃烧器的燃料阀和空气挡板应能在地面或平台上操作,

在点火和操作调节时,应能够观察到燃烧器和长明灯的火焰。

12.1.12 烧油燃烧器宜按油的运动黏度在 $15mm^2/s \sim 20mm^2/s$ 进行设计,最大不应超过 $40mm^2/s$。

12.1.13 雾化蒸汽在燃烧器喷嘴处应为微过热蒸汽。

12.1.14 在操作过程中,油枪、燃料气枪、分配器或整个燃烧器组件可拆卸。

12.2 吹灰器

12.2.1 吹灰器型式宜选用全伸缩式或固定旋转式蒸汽吹灰器,也可采用其他类型的吹灰器。吹灰器应采用自动控制。

12.2.2 全伸缩式蒸汽吹灰器的吹灰管应有两个喷嘴。吹灰管外壁和炉管外壁之间的最小距离应为 225mm。

12.2.3 全伸缩式蒸汽吹灰器的间距应按水平或垂直方向的最大吹扫范围确定,应取距吹灰管中心线 1.2m 和 5 排炉管两者中的较小者。对遮蔽管的第一排管底部可不计吹扫。吹扫范围还应计及管板对吹灰器吹扫范围的限制。

12.2.4 全伸缩式蒸汽吹灰器吹扫范围内的对流段炉墙应采用密度最小为 $2000kg/m^3$ 的耐火浇注料或设置不锈钢防护板。

12.2.5 全伸缩式蒸汽吹灰器通过炉墙的部位应设置不锈钢套筒。

12.3 通风机和驱动机

12.3.1 加热炉用通风机和驱动机的设计和制造应满足本规范附录 C 的规定。

12.3.2 工艺要求只能采用强制通风操作的加热炉,宜设置备用的通风机和驱动机。

12.4 烟囱、烟风道挡板和挡板控制

12.4.1 蝶型挡板应限制用于流通面积不大于 $1.2m^2$ 的烟囱和烟

风道。

12.4.2 烟囱和烟风道内使用的多叶式调节挡板,各叶片应有大致相等的表面积,并能相对转动,每 $1.2m^2$ 流通面积宜设置一个叶片,安装在通风机吸入口的多叶式平行转动挡板应相对通风机的旋转方向做同向转动。

12.4.3 挡板轴和紧固螺栓应与叶片材质相同。

12.4.4 挡板轴承和控制机构应外置,轴承应为自调心且无油润滑的石墨轴承,安装在标准轴承架上。

12.4.5 调节挡板在控制信号或驱动力失灵时,挡板应能回到设计规定的位置。

12.4.6 在挡板轴和控制机构上应装有显示叶片开度的外部指示器。

12.4.7 挡板叶片开度控制机构应在地面或平台上,挡板叶片可定位于由全开到全关的任何位置。挡板控制机构应确保动作准确、开关灵活。

12.4.8 挡板叶片及轴的材料最高使用温度限制应符合下列规定:

 1 碳钢最高使用温度限制应为 430℃;
 2 $5Cr-1/2Mo$ 最高使用温度限制应为 650℃;
 3 $18Cr-8Ni$ 最高使用温度限制应为 815℃;
 4 $25Cr-12Ni$ 最高使用温度限制应为 980℃。

12.4.9 烟囱和烟道的挡板叶片最小厚度应为 6mm。

13 空气预热系统

13.1 一般规定

13.1.1 空气预热系统的设计应使所有操作条件下每个燃烧器获得相等且均匀的空气流量。

13.1.2 烟气的硫酸露点温度可按图 13.1.2-1 和图 13.1.2-2 进行估算。空气预热系统中与烟气接触的金属表面的最低温度(冷端温度)应在烟气酸露点温度以上,最低烟气温度应高于冷端产生酸露点时的烟气温度 8℃ 以上。

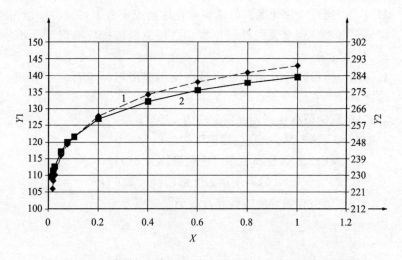

图 13.1.2-1 燃料气中硫含量和烟气硫酸露点温度之间的关系曲线
X—燃料气中硫含量(H_2S 的体积分数)(1.5% 的 SO_2 转化成 SO_3);
$Y1$—烟气硫酸露点温度(℃);$Y2$—烟气硫酸露点温度(℉);
1—Pierc 曲线;2—Totham 曲线

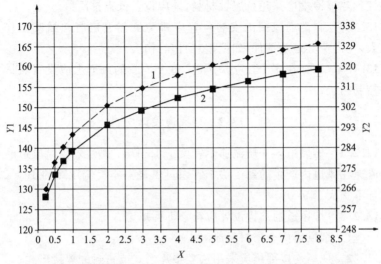

图 13.1.2-2 燃料油中硫含量和烟气硫酸露点温度之间的关系曲线
X—燃料油中硫含量(质量分数)(3%的 SO_2 转化成 SO_3);
Y1—烟气硫酸露点温度(℃);Y2—烟气硫酸露点温度(℉);
1—Pierc 曲线;2—Totham 曲线

13.1.3 冷端温度可采用下列方法进行控制:
  1 冷空气旁路;
  2 外部热源预热冷空气;
  3 热空气循环;
  4 调节导热介质温度。

13.1.4 空气预热器宜设置在线吹灰或离线水冲洗的设施。

13.1.5 空气预热系统设备失效时加热炉应能转为"备用"模式操作。备用操作模式宜采用下列方式:
  1 将空气预热器隔离,转换为自然通风操作;
  2 启动备用通风机或其他替代设备。

13.1.6 空气预热系统宜设有能够将预热器、通风机与加热炉切断的设施。

13.1.7 当与烟气接触的换热表面设计温度在酸露点以下时,空气预热器冷端应采用抗腐蚀材料,并应设置低点排凝口。

13.1.8 自然通风门的安装位置应避免突然开启时热风喷出伤人,应避免其运动部件(如配重)动作时伤人。

13.1.9 当存在多个独立炉膛时,每个炉膛的风道上应设置流量控制挡板。

13.2 烟风道设计

13.2.1 烟风道内介质流速不宜大于15m/s。燃烧器供风风道的流速在风道内产生的动压头不宜超过燃烧器空气侧压降的10%,且不宜大于9m/s。

13.2.2 烟风道的结构设计应符合下列规定:

    1 烟风道应全密封无泄漏;

    2 现场连接部位应采用法兰垫片形式或密封的焊接形式;

    3 烟风道的设计应允许烟风道系统内的挡板、通风机、空气预热器和膨胀节等构件无障碍地更换;

    4 烟风道应对空气预热器有均匀的流量分配;

    5 烟风道采用内部支撑件时,支撑件与空气预热器或风机的距离不应小于烟风道直径的3倍,且应计及设置转向叶片或导流片;

    6 加热炉安装多个燃烧器时,风道设计应使进入到各燃烧器的空气量均匀。空气分布管道内的速度应相等,各个燃烧器间的静压和速度头变化到任何一个燃烧器的允许偏差应为±5%。

13.2.3 烟风道布置及走向宜符合下列规定:

    1 所有与加热炉烟囱连接处的烟道上宜有结构固定点,固定点宜靠近与烟囱的连接点,固定点与烟囱之间宜安装膨胀节;

    2 多台加热炉联合空气预热系统宜采用独立烟囱;

    3 当多个并行风道向同一台加热炉供风时,宜设置手控和能锁定的防偏流调节挡板,每个并行风道宜有各自的防偏流调节挡板来调节每个风道流量；

　　4　带内衬的烟风道宜设置人孔。

13.2.4　烟风道的机械设计应符合下列规定：

　　1　烟风道的设计压力应按通风机产生的最大可能关闭压力或差压值中的较大值设计，但不应小于 3.4kPa，当管道内侧操作压力小于大气压力时，矩形烟风道的平壁应按负压条件设计；

　　2　烟风道和支架的设计荷载应包括所有可能产生的热荷载、机械荷载和安装荷载；

　　3　有热膨胀的烟风道上应设置能自由吸收受热后产生的预计膨胀量或能承受外力和应力的支架。

13.3　膨　胀　节

13.3.1　烟风道宜设置与内部气体温度相匹配并抗气体内腐蚀介质腐蚀的金属膨胀节或柔性织物膨胀节。在膨胀节内部宜设衬套。与膨胀节相连接的烟风道应设置加强圈。

13.3.2　两端均有膨胀节的烟风道宜固定或限位。

13.3.3　当烟风道在膨胀节处存在横向位移时，膨胀节应能吸收横向位移或角位移。

13.3.4　通风机的进出口法兰附近不宜使用金属膨胀节。

13.4　烟风道保温

13.4.1　空气预热系统的内外保温应符合本规范第 9 章的规定。

13.4.2　外保温烟风道外面应覆盖防水层或金属覆盖层。外保温材料等级温度应高出烟风道计算最高金属温度 165℃。

13.4.3　当燃料油中硫含量高于 1%（质量分数）或燃料气中硫化氢含量高于 1.5%（体积分数），烟道采用纤维制品作为内衬时，金属内壁应采取防露点腐蚀措施。

13.4.4　当设有脱硝系统时，脱硝反应器上游烟道中的陶瓷纤维保温材料应设置保护衬板。

13.4.5 在水洗或蒸汽清扫设施附近,不应使用未经防护的矿物棉材料。当烟气或空气流速超过12m/s使用矿物棉材料保温时,应采用金属网、钢板网或化学固化等防护措施保护表面。应优先使用双层矿渣棉毡衬里,热面的第一层材料应互相搭接。

14 仪表和辅助管接口

14.1 烟气和空气用管接口

Ⅰ 烟气和助燃空气测温用管接口

14.1.1 每个辐射段在烟气出口处沿炉长度或直径每间隔9m应设置一个管接口,且至少应设置两个并均布的管接口。

14.1.2 当多个辐射段或多个加热炉的烟气汇集到一个对流段时,在对流段第一种加热介质盘管之前,沿对流段管长方向每间隔9m应设置一个管接口。

14.1.3 对流段每一种加热介质盘管的烟气出口处,沿管长方向每间隔9m应设置一个管接口。对流段最后一组排管后应设置不少于两个管接口。

14.1.4 每个烟囱和每个通往公用烟囱的入口处应设置管接口。

14.1.5 空气预热器的烟气和空气出入口管道应设置管接口。通往燃烧器风道的末端应设置管接口。

14.1.6 管接口可采用法兰连接形式,也可采用螺纹连接形式。

Ⅱ 烟气和助燃空气测压用管接口

14.1.7 每个辐射段距炉底衬里上部300mm至600mm处应设置两个管接口。

14.1.8 对水平燃烧加热炉,安装燃烧器的每一面墙在其最高一排燃烧器的中心线上应设置一个管接口。

14.1.9 在每个辐射段抽力最低处应设置两个管接口。

14.1.10 在对流段最后一组加热盘管之后应设置一个管接口。

14.1.11 在抽力调节挡板的前后应设置管接口。

14.1.12 通风机的出入口管道应设置管接口。

14.1.13 空气预热器的烟气和空气出入口应设置管接口。

14.1.14 在燃烧器风箱调风挡板下游,应设置一个管径不小于 $DN15$ 的管接口。

14.1.15 管接口可采用法兰连接形式,也可采用螺纹连接形式。

Ⅲ 烟气采样口

14.1.16 每个辐射段烟气出口处应设置烟气采样口。

14.1.17 对流段出口及空气预热器进出口处应设置烟气采样口。

14.1.18 每个烟囱上和每个通往公用烟囱的入口处应设置烟气采样口。

Ⅳ 在线分析仪表接口

14.1.19 辐射段烟气出口应设置氧分析仪接口。多个辐射段的加热炉,应在每个辐射段烟气的出口设置氧分析仪接口。

14.1.20 辐射段烟气出口宜设置一氧化碳分析仪接口。多个辐射段的加热炉,宜在每个辐射段的烟气出口设置一氧化碳分析仪接口。

14.2 工艺流体测温用管接口

14.2.1 在对流至辐射转油线上可设置热电偶接口。

14.2.2 工艺流体热电偶接口应配有法兰,法兰等级应与流体的设计压力和温度相匹配,材质应与相连的炉管或工艺管道的材质相同。

14.3 辅助管接口

Ⅰ 灭火蒸汽管接口

14.3.1 灭火蒸汽管接口的规格及数量应由计算确定,并应使通过的蒸汽量在15min内至少可充满3倍炉膛体积。每个燃烧室应设置数量不少于两个且规格不小于 $DN40$ 的接口。

14.3.2 灭火蒸汽管接口的安装位置应避免冲击加热炉管排和任何陶瓷纤维衬里,且应在辐射段均匀分布。

14.3.3 灭火蒸汽管接口也可用作吹扫蒸汽管接口。

14.3.4 对于强制通风系统,通风机可以代替吹扫蒸汽对燃烧室进行吹扫。

Ⅱ 排凝管接口

14.3.5 烟囱、烟道、空气预热器的低点积液处应设置不小于$DN50$的排凝管接口。

14.3.6 当弯头箱内有法兰或堵头式管件时,弯头箱壳体上应设置不小于$DN20$的排凝管接口。

14.4 管壁热电偶

14.4.1 当需要检测炉管壁温时应设置管壁热电偶,管壁热电偶的导线、绝缘体和保护套的设计应与炉管预计的位移相适应。

14.4.2 保护套材质不应低于06Cr25Ni20或适合操作条件的其他合金。保护套通过焊制的夹子或卡子固定到炉管上,所有热电偶组件应在加热炉外壳上采用热电偶接线盒连接。

14.5 管接口位置

14.5.1 采样口和仪表管接口应接近地面、平台或直梯。

14.5.2 热电偶管接口应接近地面或平台,位置不应高于地面或平台面2m。烟气取样管不应高于地面或平台面1.2m。

14.5.3 人员在固定直梯上操作时,管接口应靠近直梯。管接口距直梯中心线不应大于0.8m,且应低于顶端踏棍0.9m。

15 车间预制和现场安装

15.1 一般规定

15.1.1 加热炉及附件宜进行最大模块化预制。

15.1.2 所有设备、材料应有质量证明文件,并应满足设计文件要求。

15.1.3 加热炉承压部分制造、安装所采用的焊接工艺应按现行行业标准《承压设备焊接工艺评定》NB/T 47014 的要求进行评定,焊接接头性能应满足设计文件要求。

15.1.4 加热炉盘管的焊接应符合现行行业标准《石油化工管式炉碳钢和铬钼钢炉管焊接技术条件》SH/T 3085 或《石油化工管式炉高合金炉管焊接工程技术条件》SH/T 3417 的规定以及设计文件的要求。

15.1.5 加热炉及附件的预制、安装应符合现行行业标准《石油化工管式炉钢结构工程及部件安装技术条件》SH 3086 的规定。

15.1.6 加热炉衬里施工应符合现行行业标准《石油化工筑炉工程施工技术规程》SH/T 3610 和《石油化工筑炉工程施工质量验收规范》SH/T 3534 的规定。

15.2 钢结构预制

15.2.1 钢结构预制应符合下列规定:

  1 各类钢结构焊缝形式应符合设计文件要求,其中壁板对接焊缝应为连续、全焊透焊缝;

  2 所有钢结构及其附件应有清晰标识;

  3 所有螺栓孔应采用机械方法加工,采用高强螺栓连接的结构连接面应采用抛丸或喷砂方式进行处理,并制作试板进行抗滑移系数试验以保证摩擦系数满足设计文件要求；

4 炉壁板表面平整度应采用 1m 直尺检查，间隙不应大于 3mm，圆筒炉筒体壁板采用弦长 1m 的样板检查，间隙不应大于 3mm，所有壁板开孔中心位置偏差不应大于 10mm。

15.2.2 加热炉钢烟囱预制应符合设计文件的规定，并应符合下列规定：

1 烟囱壳体直边的直线度在任何 3m 长度内不应大于 3mm；

2 沿烟囱长度方向的任何截面上，最大直径与最小直径之差不应超过该截面名义直径的 2%；

3 烟囱壁板任一连接处的错边量不应超过名义板厚的 25%，且不应大于 3mm；

4 纵向接缝的棱角度用 600mm 的弧形样板以接缝为中心测量时，其间隙不应大于 5mm；

5 环向接缝的棱角度用 900mm 的直规以接缝为中心测量时，其间隙不应大于 8mm。

15.3 盘 管 制 造

15.3.1 加热炉盘管制造应符合现行行业标准《石油化工管式炉钢结构工程及部件安装技术条件》SH 3086、《石油化工管式炉碳钢和铬钼钢炉管焊接技术条件》SH/T 3085 和《石油化工管式炉高合金炉管焊接工程技术条件》SH/T 3417 的规定。

15.3.2 炉管焊接可采用如下方法：

1 焊条电弧焊；

2 手工或自动钨极气体保护焊；

3 熔化极气体保护焊；

4 管内有保护气体的药芯焊丝电弧焊。

15.3.3 炉管焊接时，严禁采用永久性衬环。

15.3.4 对于 $2\frac{1}{4}$ Cr-1Mo 或更高合金的管材，当用钨极气体保

护焊焊接根部焊道时,内部应通入氩气或氮气等惰性气体进行保护,氮气只可用于奥氏体不锈钢根部焊道焊接时的气体保护。

15.3.5 每条焊缝在全长范围内宽度和余高应均匀,焊缝与母材应过渡圆滑,不得有表面裂纹、未焊透、未熔合、表面气孔、弧坑、未填满、夹渣和飞溅物。

15.4 涂漆和防腐

15.4.1 加热炉钢结构预制构件应按现行国家标准《涂覆涂料前钢材表面处理 表面清洁度的目视评定 第1部分:未涂覆过的钢材表面和全面清除原有涂层后的钢材表面的锈蚀等级和处理等级》GB/T 8923.1规定的Sa2.5级的要求进行表面处理,并应涂干膜厚度最小为 $75\mu m$ 的无机富锌底漆。涂漆施工作业环境应符合油漆产品技术文件的要求。

15.4.2 加热炉部件内部应按设计文件或产品技术文件要求进行表面处理和涂层施工。

15.5 耐火和隔热

15.5.1 材料宜原包装储存,并应避免受潮、风化和其他杂质进入。使用前,材料应保持干燥并按产品技术文件要求的储存温度存放,应按现行行业标准《石油化工筑炉工程施工质量验收规范》SH/T 3534的规定进行材料性能复验。

15.5.2 耐火材料施工前,所有钢材表面的污物、油脂、浮锈和其他杂物应清除干净,除锈等级应满足设计文件要求,若设计文件没有规定则应达到现行国家标准《涂覆涂料前钢材表面处理 表面清洁度的目视评定 第1部分:未涂覆过的钢材表面和全面清除原有涂层后的钢材表面的锈蚀等级和处理等级》GB/T 8923.1规定的St2等级的要求,有涂层要求的应按设计文件要求检查及验收。

15.5.3 锚固件应满焊。采用链网锚固时,应在浇注料施工前进行牵拉就位。

15.5.4 耐火材料施工用水应符合现行行业标准《石油化工管式炉轻质浇注料衬里工程技术条件》SH/T 3115 的规定。

15.5.5 用灰浆砌筑时，耐火砖两侧均应浸浆或抹泥。膨胀缝应干砌。

15.5.6 浇注料衬里施工应满足下列要求：

  1 施工和养护期间，环境温度应在 5℃ 以上，否则应采取措施；

  2 采用喷涂法施工时，衬里应由下至上逐段水平喷涂，应在规定的区域内按设计文件要求的厚度连续进行喷涂，当喷涂间断时，应按要求对衬里接茬的表面进行处理；

  3 回弹料不得用于衬里；

  4 浇注料表面的伸缩缝的设置应符合技术文件的规定；

  5 每层衬里施工后应按技术文件要求进行养护；

  6 浇注料在施工后 72h 内不得搬运或试验。

15.6 装运准备

15.6.1 加热炉及其附属设备、直梯、斜梯和平台应在满足运输、接收和搬运设施的条件下进行最大程度组装。运输过程中各部分均应进行加固和支承。模块化供货的大型组合件应对其重心位置进行明确标识。

15.6.2 装运前应清除加热炉炉管表面杂物，所有用于清洗或试验的液体应吹干。盘管法兰面及其他机加工表面应涂有易清除的防锈涂料。所有开口处应进行防护封盖。加工后的坡口应进行保护。

15.6.3 耐火和保温材料在装运、储存和安装过程中应根据产品技术文件要求采取有效防护措施，且应符合下列规定：

  1 车间铺衬的浇注料部分应采取通风措施，做好自然养护；

2 车间铺衬的耐火纤维部分应对材料进行防水保护。

15.6.4 安装图和螺栓清单应随加热炉供货同步提交。安装图上应标明安装标记、现场焊缝尺寸和长度，螺栓清单中应注明每个连接部位所用螺栓的数量、规格和材质。

15.6.5 所有散件应按类别、材质等包装发货，包装物上应有明确标识并随货提供装箱清单。

15.6.6 项目号、发货标记和订货合同号应喷涂在加热炉和散件上，所有供货部件应按组装图纸逐一标明部件编号。

15.6.7 供货文件、组装图纸及相应加热炉部件上应准确、清晰标明为装运采用的所有临时固定部件、运输和安装用的夹具或绑扎物。

15.7 现场安装

15.7.1 加热炉的制造验收记录、组装图纸及安装说明等相关技术文件应随设备供货同时交付。加热炉应按供货技术文件要求进行安装，并应符合本规范有关条款、现行行业标准《石油化工管式炉钢结构工程及部件安装技术条件》SH 3086和《管式炉安装工程施工及验收规范》SH/T 3506的有关规定。

15.7.2 加热炉安装前应按现行行业标准《石油化工管式炉钢结构工程及部件安装技术条件》SH 3086的要求对加热炉基础标高、轴线间距、外形尺寸、地脚螺栓进行全面复测并办理交接手续。

15.7.3 模块化供货的加热炉大型部件应由制造单位提供部件的装运质量并标识重心位置。大型模块的装运、吊装应按模块部件的质量、重心参数确定方案，对吊装所用平衡梁、吊耳、索具强度进行强度校核。模块吊装前，应采取相应临时加固措施，使其结构整体刚性满足吊装要求。

15.7.4 当采用垫铁安装找正炉体钢结构时，基础表面应凿麻，垫铁设置处应铲平，并应符合下列规定：

1 垫铁组应设置在靠近地脚螺栓的柱脚底板肋板或柱肢下；

2 垫铁组设置面积应满足基础混凝土强度要求,每组垫铁不宜超过 4 块;

　　3 垫铁与基础面和柱底面的接触应平整、紧密,与基础底面接触面积不应小于 50%;

　　4 采用成对斜垫铁时,其叠合长度不应小于垫铁长度的 3/4;

　　5 二次灌浆前垫铁组每层垫铁间应点焊固定。

15.7.5 可采用坐浆法设置垫铁,垫铁顶面水平度偏差不应大于 2mm/m,标高偏差不应大于 0.5mm。

15.7.6 耐火材料应采取防潮措施。

15.7.7 完成衬里的部件应避免碰撞,且应在衬里养护强度达到 70% 之后装运、吊装,并应采取有效的加固或防变形措施。

15.7.8 由壁板或结构组件形成的接头应采用与其相邻的耐火层同等厚度的耐火材料连续覆盖。

15.7.9 加热炉炉管安装应严格按设计文件安装导向、定位支吊架,炉管各部间隙应满足设计膨胀量要求。

15.7.10 烟囱安装后的垂直度偏差每 15m 高不应大于 25mm,全高范围内的垂直度偏差最大不应超过 50mm。

15.7.11 各类临时固定部件、夹具及绑扎物应在加热炉试运行前拆除。

16 检查、检测和试验

16.1 焊接检查

16.1.1 盘管焊缝的外观、射线、超声、磁粉、渗透检测应符合现行行业标准《承压设备无损检测》NB/T 47013 的规定,并应符合下列规定:

　　1 射线检测时射线透照质量等级不应低于 AB 级,焊接接头经检测后的合格级别不应低于 Ⅱ 级,且不应有未焊透;

　　2 焊接接头经渗透、磁粉、超声检测后合格级别不应低于 Ⅰ 级。

16.1.2 盘管,包括回弯头、管件、集合管和跨接管的焊缝外观检测合格后,应按设计文件要求进行无损检测,若设计文件未规定则应符合下列规定:

　　1 奥氏体钢焊接接头根部焊道宜 100% 进行着色渗透检测;

　　2 所有铬钼钢和奥氏体钢焊接接头应进行 100% 射线检测;

　　3 具有延迟裂纹倾向的焊接接头应在焊接完成 24h 后进行检测;

　　4 碳钢焊接接头应按每名焊工施焊数量的 10% 进行射线检测;

　　5 集合管上的纵向焊缝施焊完毕后应进行 100% 射线检测,且对奥氏体材料应进行着色渗透检测,对铁素体材料应进行磁粉检测。

16.1.3 常用材料焊前预热温度应按表 16.1.3 的要求执行。

表 16.1.3 常用材料焊前预热温度

材料类别		名义厚度(mm)	规定的母材最小抗拉强度(MPa)	焊前预热温度(℃)
碳钢(C)、碳锰钢(C-Mn)		≥25	全部	80～180
		全部	>490	
合金钢(C-Mo、Mn-Mo、Cr-Mo)	Cr≤0.5%	≥13	全部	80～180
		全部	>490	
Cr-Mo合金钢	0.5%<Cr≤2%	全部	全部	150～300
	2.25%≤Cr≤10%	全部	全部	180～350

16.1.4 除设计文件规定外,焊后热处理应按表16.1.4的要求执行。

表 16.1.4 常用材料焊后热处理

材料类别		名义厚度(mm)	规定的母材最小抗拉强度(MPa)	热处理温度(℃)	保温时间(min/mm)	最短保温时间(h)	布氏硬度
碳钢(C)、碳锰钢(C-Mn)		>19	全部	600～650	2.4	1	—
合金钢(C-Mo、Mn-Mo、Cr-Mo)	Cr≤0.5%	>19	全部	600～720	2.4	1	≤225
		全部	>490	600～720	2.4	1	
Cr-Mo合金钢	0.5%<Cr≤2%	>13	全部	700～750	2.4	2	≤225
		全部	>490	700～750	2.4	2	
	P11,T11	全部	全部	700～750	2.4	2	

续表 16.1.4

材料类别	名义厚度(mm)	规定的母材最小抗拉强度(MPa)	热处理温度(℃)	保温时间(min/mm)	最短保温时间(h)	布氏硬度
Cr-Mo 合金钢 (2.25%≤Cr≤10%)	Cr≤3%且C≤0.15%	>13	全部	700~760	2.4	2	≤241
	P22,T22	全部	全部	700~760	2.4	2	
	Cr>3%或C>0.15%	全部	全部	700~760	2.4	2	

注:1 奥氏体不锈钢材料焊后热处理按设计文件要求进行。
  2 异种钢焊接接头焊后热处理温度宜按较高一侧材料温度范围确定,但不得超过任一材料的下临界点。

16.1.5 经焊后热处理的焊接接头应对焊缝和热影响区进行100%硬度值测定,且硬度值均不得超过本规范表16.1.4的规定。热影响区的测定区域应紧邻熔合线。当硬度值超过规定范围时,应重新进行热处理。

16.1.6 经焊后热处理合格的部位,不得再进行焊接作业,否则应重新进行热处理。

16.2 铸件检验

16.2.1 除设计文件另有规定处,铸件的检验应符合下列规定:

1 加热炉耐热钢铸件供货后应对其质量证明文件进行复核,除设计文件另有规定外,铸件化学成分分析、力学性能试验报告应符合现行行业标准《石油化工管式炉耐热钢铸件技术标准》SH 3087和《石油化工管式炉铬钼钢焊接回弯头技术规范》SH/T 3127 的有关规定；

2 铸件表面可存在直径小于5mm，深度不超过铸件厚度10%且小于5mm的气孔、缩孔、夹渣、砂眼等缺陷，但在10000mm²的表面上不应超过2处，任何相邻缺陷边缘间距不应小于20mm。

16.2.2 遮蔽段和对流段的铸造管架应按下列规定进行检查：

1 管架应按现行行业标准《石油化工管式炉耐热钢铸件技术标准》SH 3087的规定进行外观检查和尺寸核对，炉管支承件全部表面应充分清理以满足表面检测要求；

2 所有加强筋与主梁相交的交叉面应进行100%液体渗透检测（对奥氏体材料）或磁粉检测（对铁素体材料），检测程序及验收标准应符合现行国家标准《铸钢件渗透检测》GB/T 9443和《铸钢件磁粉检测》GB/T 9444的规定，合格等级为01级；

3 应按设计文件规定的检测范围、合格等级进行铸件相关部位的射线检测。

16.2.3 辐射段铸造管架、吊挂或导向架应按现行行业标准《石油化工管式炉耐热钢铸件技术标准》SH 3087的要求做表面缺陷的外观检查。一个管架或吊架上的全部缺陷应少于10处，且在弯钩、吊腿处不应有缺陷。

16.2.4 铸造回弯头和压力管件应按下列规定进行检查：

1 所有铸造回弯头和压力管件的尺寸偏差、质量要求应按现行行业标准《石油化工管式炉铬钼钢焊接回弯头技术规范》SH/T 3127逐件进行检验；

2 所有表面均应按液体渗透检测（奥氏体材料）或磁粉检测（铁素体材料）要求进行表面处理，评定和验收应符合现行国家标准《铸钢件渗透检测》GB/T 9443、《铸钢件磁粉检测》GB/T 9444和《石油化工管式炉铬钼钢焊接回弯头技术规范》SH/T 3127的有关规定；

3 铸造回弯头和压力管件应按现行国家标准《铸钢件射线照

相检测》GB/T 5677的规定进行射线检测,其抽样数量、覆盖等级应符合设计文件或现行行业标准《石油化工管式炉铬钼钢焊接回弯头技术规范》SH/T 3127的规定。

16.2.5 机械加工的焊接坡口应进行着色渗透检测,不得有大于1.5mm的缺陷显示。

16.2.6 所有铸件的支承表面不应有锐边和毛刺。

16.3 其他部件的检验

16.3.1 加热炉衬里施工检查及验收应符合现行行业标准《石油化工筑炉工程施工质量验收规范》SH/T 3534的规定。对于宽度大于3mm或深度超过衬里厚度50%的浇注料衬里裂纹应进行返修。返修时,应铲去缺陷衬里材料直至背层交接面或炉壳表面,并至少应露出3个锚固件或金属本体。在密实的耐火材料上应做成至少有25mm的接茬,并应一直到基层(榫接结构)。经检查合格后应采用喷涂、浇注或手工捣制方法进行修补。

16.3.2 翅片管的检验应符合现行行业标准《高频电阻焊螺旋翅片管》SH/T 3415的规定。钉头管的检验应符合现行行业标准《石油化工管式炉钉头管技术标准》SH/T 3422的规定。

16.4 试　　验

16.4.1 所有组装好的压力部件应按设计文件规定进行压力试验。

16.4.2 当无法进行水压试验时,应对压力部件上的焊缝进行100%射线检测,并用空气或无毒不燃气体进行气体泄漏试验。气体泄漏试验压力应为430kPa表压或设计压力的15%,且应取二者中的较小值。气体泄漏试验压力应保持足够时间检查泄漏,且不应少于15min。

16.4.3 水压试验应使用洁净水。奥氏体材料进行水压试验时,水中的氯离子含量不应超过25mg/L。

16.4.4 水压试验完成之后,应将试压用水从加热炉所有部件中清除干净。不得使用加热汽化法去除奥氏体不锈钢炉管中的水。

16.4.5 浇注料施工后应用 0.5kg 手锤对整个衬里表面按下列规定的网格间距交点做锤击试验,对双层衬里,应在每层养护后分别进行锤击试验,敲击声音应坚实,不得有空鼓声。

    1 炉顶的网格间距应为 600mm×600mm;

    2 侧墙和炉底的网格间距应为 900mm×900mm。

16.4.6 除燃烧器外,炉管、管板支架等合金材料部件宜在最终安装后或不会再产生混料的阶段按 10% 抽检比例进行验证性材料检验(PMI)。

附录 A 设备数据表

A.0.1 火焰加热炉数据表应符合表 A.0.1 的规定。

表 A.0.1 火焰加热炉数据表

火焰加热炉数据表		SI 单位			
		修改：	日期：	第1页	共12页
用户/业主：		设备编号：			
用途：		工厂位置：			
1	装置：	所需数量：			修改
2	制造商：	相关号：			
3	炉型				
4	总吸热量(MW)				
5	工艺设计条件				
6	操作工况				
7	炉段				
8	用途				
9	吸热量(MW)				
10	介质名称				
11	流率(kg/s)				
12	流率(m³/h)				
13	压力降允许值(清洁/结垢)(kPa)				
14	压力降计算值(清洁/结垢)(kPa)				
15	辐射段平均热强度允许值(W/m²)				
16	辐射段平均热强度计算值(W/m²)				
17	辐射段最高热强度(W/m²)				
18	对流段热强度(基于光管)(W/m²)				
19	流速限制(m/s)				
20	工艺介质质量流速[kg/(s·m²)]				
21	最高内膜温度允许值/计算值(℃)				
22	结垢热阻(m²·K/W)				
23	允许焦层厚度(mm)				

续表 A.0.1

火焰加热炉数据表		SI 单位		
		修改：	日期：	第2页 共12页
用户/业主：		设备编号：		
用途：		工厂位置：		
工艺设计条件				

24	入口条件：				
25	温度(℃)				
26	压力(表)(kPa)				
27	液相流率(kg/s)				
28	汽相流率(kg/s)				
29	液相相对密度(在 15℃)				
30	汽相分子量				
31	汽相密度(kg/m^3)				
32	黏度(液相/汽相)(MPa·s)				
33	比热容(液相/汽相)[kJ/(kg·K)]				
34	热导率(液相/汽相)[W/(m·K)]				
35	出口条件：				
36	温度(℃)				
37	压力(表)(kPa)				
38	液相流率(kg/s)				
39	汽相流率(kg/s)				
40	液相相对密度(在 15℃)				
41	汽相分子量				
42	汽相密度(kg/m^3)				
43	黏度(液相/汽相)(MPa·s)				
44	比热容(液相/汽相)[kJ/(kg·K)]				
45	热导率(液相/汽相)[W/(m·K)]				
46	附注和特殊要求：				
47	蒸馏数据或进料组成：				
48	短期操作条件：				
49					
50	备注：				
51					

续表 A.0.1

火焰加热炉数据表			SI 单位			
			修改：	日期：	第 3 页 共 12 页	
用户/业主：			设备编号：			
用途：			工厂位置：			
燃烧设计条件						
1	操作工况					修改
2	燃料类型					
3	过剩空气量(%)					
4	计算放热量(h_L)(MW)					
5	计算燃料效率(h_L)(%)					
6	保证燃料效率(h_L)(%)					
7	散热损失(h_L)(%)					
8	烟气温度：	离开辐射段(℃)				
9		离开对流段(℃)				
10		离开空气预热器(℃)				
11	烟气量(kg/s)					
12	对流段烟气质量流速[kg/(s·m²)]					
13	抽力	在炉顶(Pa)				
14		在燃烧器处(Pa)				
15	环境空气温度,热效率计算(℃)					
16	环境空气温度,烟囱设计(℃)					
17	海拔高度(m)					
18	体积放热量(h_L)(W/m³)					
19	排放限制(干基):	折算至3%O_2(mL/m³)		NOx:	CO:	SOx
20		h_L或h_H(kg/kJ)		未燃烃:	颗粒物:	
21	燃料性质:					
22	燃料气类型		燃料油类型		其他类型	
23	h_L(kJ/m³)		h_L(kJ/kg)		h_L(kJ/kg)	
24	h_H(kJ/m³)		h_H(kJ/kg)		h_H(kJ/kg)	
25	燃烧器进口压力(表)(kPa)		燃烧器进口压力(表)(kPa)		燃烧器进口压力(表)(kPa)	
26	燃烧器进口温度(℃)		燃烧器进口温度(℃)		燃烧器进口温度(℃)	

续表 A.0.1

火焰加热炉数据表				SI 单位	
				修改: 日期: 第4页 共12页	
用户/业主:				设备编号:	
用途:				工厂位置:	
燃烧设计条件					
27	分子量		在 ℃黏度(MPa·s)		
28			雾化蒸汽温度(℃)		
29			雾化蒸汽压力(表)(Pa)		
30	组分	摩尔分数(%)	组分	质量分数(%)	组分	质量分数(%)
31						
32						
33						
34			钒(mg/kg)		
35			钠(mg/kg)		
36			硫		
37			灰分		
38	燃烧器数据:				
39	制造商:		尺寸/型号:	数量:	
40	类型:		安装位置:	安装方位:	
41	单台燃烧器放热量(MW)		设计:	正常:	最小:
42	在设计放热量时通过燃烧器的压力降(Pa)				
43	燃烧器中心线到炉管中心线间距离,水平(mm)			垂直(mm)	
44	燃烧器中心线到无遮蔽耐火墙间距离,水平(mm)			垂直(mm)	
45	长明灯,类型:		能量(MW)	燃料:	
46	点火方式:				
47	火焰监测,类型:		数量:		
48	备注:				
49					
50					

续表 A.0.1

火焰加热炉数据表		SI 单位	
		修改： 日期：	第5页 共12页
用户/业主：		设备编号：	
用途：		工厂位置：	
机械设计条件			
1	平面限制：	烟囱限制：	修改
2	炉管限制：	噪声限制：	
3	结构设计数据： 风速：	主导风向：	
4	雪荷载：	地震区：	
5	最低/正常/最高环境空气温度(℃)：	相对湿度(%)	
6	炉段：		
7	用途：		
8	盘管设计：		
9	设计基础：炉管壁厚(标准或规范)		
10	断裂强度(最小或平均)		
11	断裂应力对应的设计寿命(h)		
12	设计压力,弹性/断裂(kPa)		
13	介质设计温度(℃)		
14	温度裕量(℃)		
15	腐蚀裕量,炉管/管件(mm)		
16	水压试验压力(kPa)		
17	焊后热处理(是或否)		
18	射线检查的焊缝(%)		
19	炉管金属最高(清洁)温度(℃)		
20	炉管金属设计温度(℃)		
21	内膜传热系数[W/(m^2·K)]		
22	盘管布置：		
23	炉管方位：垂直或水平		
24	炉管材料(规范和牌号)		
25	炉管外径(mm)		
26	炉管壁厚(最小)(平均)(mm)		
27	管程数		
28	炉管数量		

续表 A.0.1

	火焰加热炉数据表		SI 单位	
		修改:	日期:	第6页 共12页
用户/业主:			设备编号:	
用途:			工厂位置:	
	机械设计条件			
29	每排管数(对流段)			
30	炉管总长(m)			
31	炉管有效长(m)			
32	光管:数量			
33	总外表面积(m²)			
34	扩面管:数量			
35	总外表面积(m²)			
36	炉管布置方式(顺排或错排)			
37	炉管间距,中心到中心:水平×对角线(或垂直)			
38	炉管中心至炉墙间距(最小)(mm)			
39	折流砖(有或无)			
40	折流砖宽度(mm)			
41	扩面形式:			
42	类型:(钉头)(锯齿型翅片)(整体翅片)			
43	材质			
44	尺寸(高×直径/厚度)(mm)			
45	间距(翅片数/m)(钉头数/周)			
46	最高端部温度(计算)(℃)			
47	扩面比(总面积/光管面积)			
48	堵头式回弯头:			
49	类型:			
50	材质(规范和牌号)			
51	公称规格			
52	位置(一端或两端)			
53	接头为焊接或胀接			
54	备注:			
55				

续表 A.0.1

	火焰加热炉数据表		SI 单位			
			修改:	日期:	第 7 页	共 12 页
用户/业主:			设备编号:			
用途:			工厂位置:			
	机械设计条件					
1	炉段:					修改
2	用途:					
3	急弯弯管:					
4	类型					
5	材质(规范和牌号)					
6	公称规格或管壁厚度系列号					
7	位置(f.b.=炉膛,h.b.=弯头箱)					
8	端部接头和/或集合管:					
9	类型(bev.=开坡口,manif.=集合管,fig.=法兰)					
10	入口:材质(规范和牌号)					
11	尺寸/壁厚系列号或壁厚					
12	端部接头数量					
13	法兰材质(规范和牌号)					
14	法兰尺寸和压力等级					
15	出口:材质(规范和牌号)					
16	尺寸/壁厚系列号或壁厚					
17	端部接头数量					
18	法兰材质(规范和牌号)					
19	法兰尺寸和压力等级					
20	集合管与炉管连接形式(焊接、拔头等)					
21	集合管位置(弯头箱内部或外部)					
22	转油线:					
23	焊接或法兰连接					
24	管材质(规范和牌号)					
25	管尺寸/壁厚系列号或壁厚					
26	法兰材质					

续表 A.0.1

	火焰加热炉数据表	SI 单位		
		修改：	日期：	第8页 共12页
用户/业主：		设备编号：		
用途：		工厂位置：		
机械设计条件				
27	法兰尺寸/压力等级			
28	位置(内部/外部)			
29	介质温度(℃)			
30	管架：			
31	位置(两端、顶部、底部)			
32	材料(规范和牌号)			
33	金属设计温度(℃)			
34	厚度(mm)			
35	隔热类型和厚度(mm)			
36	锚固件(材质和形式)			
37	中间管板：			
38	材质(规范和牌号)			
39	金属设计温度(℃)			
40	厚度(mm)			
41	间距(m)			
42	炉管导向架：			
43	位置：			
44	材料：			
45	类型/间距：			
46	弯头箱：			
47	位置：	铰接门/螺栓连接门：		
48	壳体材料：	厚度(mm)：		
49	衬里材料：	厚度(mm)：		
50	锚固件(材质和形式)：			
51	备注：			
52				
53				

续表 A.0.1

	火焰加热炉数据表		SI 单位	
			修改： 日期： 第9页 共12页	
用户/业主：			设备编号：	
用途：			工厂位置：	
		机械设计条件		
1	耐火材料设计基础条件：			修改
2	环境温度(℃)：	风速(m/s)：	炉外壁温度(℃)：	
3	无管排的立墙：			
4	衬里厚度(mm)：	热面温度(设计/计算)(℃)：		
5	炉墙结构：			
6				
7	锚固件(材质和形式)：			
8	壁板材质：	厚度(mm)：	温度(℃)：	
9	有管排的立墙：			
10	衬里厚度(mm)：	热面温度(设计/计算)(℃)：		
11	炉墙结构：			
12				
13	锚固件(材质和形式)：			
14	壁板材质：	厚度(mm)：	温度(℃)：	
15	炉顶：			
16	衬里厚度(mm)：	热面温度(设计/计算)(℃)：		
17	炉墙结构：			
18				
19	锚固件(材质和形式)：			
20	壁板材质：	厚度(mm)：	温度(℃)：	
21	炉底：			
22	衬里厚度(mm)：	热面温度(设计/计算)(℃)：		
23	炉底结构：			
24				
25	壁板材质：	厚度(mm)：	温度(℃)：	
26	炉底最低标高(m)：	风道下部净空(m)：		

续表 A.0.1

火焰加热炉数据表		SI 单位	
		修改： 日期：	第 10 页 共 12 页
用户/业主：		设备编号：	
用途：		工厂位置：	
机械设计条件			

27	对流段：			
28	衬里厚度(mm)：		热面温度(设计/计算)(℃)：	
29	炉墙结构：			
30				
31	锚固件(材质和形式)：			
32	壁板材质：	厚度(mm)：		温度(℃)：
33	火墙：			
34	类型：	材料		
35	尺寸(高度/宽度)：			
36	烟风道：		烟气	燃烧用空气
37	位置：	尾部烟道		
38	尺寸(m)：或净流通面积(m²)：			
39	壁板材质：			
40	壁板厚度(mm)：			
41	衬里：内部/外部			
42	厚度(mm)			
43	材料			
44	锚固件(材质和形式)			
45	壁板温度(℃)：			
46	风箱(空气)：			
47	壁板材质：	厚度(mm)：		尺寸(mm)：
48	衬里材料：		厚度(mm)：	
49	锚固件(材质和形式)：			
50	备注：			
51				

续表 A.0.1

火焰加热炉数据表				SI 单位			
				修改：	日期：	第 11 页 共 12 页	
用户/业主：				设备编号：			
用途：				工厂位置：			
机械设计条件							
1	烟囱或烟囱短节：						修改
2	数量：	自支承或拉索式：		位置：			
3	壁板材质：	腐蚀裕度(mm)：		最小厚度(mm)：			
4	壁板内径(m)：	海拔高度(m)：		烟囱高度(m)：			
5	衬里材料：			厚度(mm)：			
6	锚固件(材料和形式)						
7	衬里范围：			内部或外部：			
8	设计烟气流速(m/s)：			烟气温度(℃)：			
9	挡板						
10	位置						
11	类型(控制、密封等)						
12	材质：叶片						
13	材质：轴						
14	多叶/单叶						
15	操作方式(手动或自动)						
16	控制器类型(电动或气动)						
17	其他：						
18	平台：位置	数量	宽度	长度/弧长	斜梯/直梯	入口位置	
19							
20							
21							
22							
23							
24	铺板类型：						
25	门：			数量	位置	尺寸	螺栓连接/铰接
26	人孔						

续表 A.0.1

	火焰加热炉数据表		SI 单位		
			修改：	日期：	第12页 共12页
用户/业主：			设备编号：		
用途：			工厂位置：		
		机械设计条件			
27					
28	看火孔				
29					
30	炉管吊管孔				
31					
32	仪表管接口：		数量	尺寸	类型
33	烟气/助燃空气温度				
34	烟气/助燃空气压力				
35	烟气采样				
36	灭火/吹扫蒸汽				
37	O_2分析仪				
38	CO 或 NO_x分析仪				
39	放空/排凝				
40	工艺介质温度				
41	管壁热电偶				
42					
43					
44	油漆要求：				
45	内壁涂层				
46	镀锌要求：				
47	是否包括油漆吊车或导轨：				
48	特殊设备：	吹灰器：			
49		空气预热器：			
50		通风机：			
51		其他：			
52	备注：				
53					
54					

A.0.2 燃烧器数据表应符合表A.0.2的规定。

表 A.0.2 燃烧器数据表

燃烧器数据表		SI 单位	
		修改: 日期:	第1页 共6页
用户/业主:		设备编号:	
用途:		工厂位置:	
1	一般数据:		修改
2	炉型		
3	海拔高度(m)		
4	空气:		
5	环境空气/预热空气/燃气轮机排出气		
6	温度(最低/最高/设计)(℃)		
7	相对湿度(%)		
8	送风类型:鼓风/自然/引风		
9	有效抽力(通过燃烧器)(Pa)		
10	有效抽力(通过风箱)(Pa)		
11	要求调节比		
12	燃烧器壁衬里厚度(mm)		
13	加热炉壳体壁厚(mm)		
14	辐射室高度(m)		
15	炉管节圆直径(m)		
16	燃烧器数据:		
17	制造商		
18	燃烧器类型		
19	型号/尺寸		
20	燃烧方向		
21	位置(炉顶/炉底/侧壁)		
22	数量		
23	最小距离,燃烧器中心线至:		
24	炉管中心线(水平/垂直)(mm)		
25	相邻燃烧器中心线(水平/垂直)(mm)		
26	无遮挡耐火材料(水平/垂直)(mm)		

续表 A.0.2

燃烧器数据表		SI 单位	
		修改：	日期： 第2页 共6页
用户/业主：		设备编号：	
用途：		工厂位置：	

27	燃烧器节圆直径(m)		
28	长明灯：		
29	数量		
30	形式		
31	点火方式		
32	燃料		
33	燃料压力(kPa)		
34	能量(MW)		
35	操作数据：		
36	燃料		
37	单个燃烧器放热量 h_L(MW)		
38	设计		
39	正常		
40	最小		
41	设计放热量下过剩空气(%)		
42	空气温度(℃)		
43	压力损失(Pa)		
44	设计		
45	正常		
46	最小		
47	要求燃料压力(kPa)		
48	设计放热量下的火焰长度(m)		
49	火焰形状(圆形、扁平等)		
50	雾化介质/燃料油比率(kg/kg)		
51	注：		
52			
53			
54			

续表 A.0.2

燃烧器数据表			SI 单位		
		修改：	日期：	第3页	共6页
用户/业主：			设备编号：		
用途：			工厂位置：		
	燃料气特性				
1	燃料类型				修改
2	低发热量 h_L(kJ/m³)				
3	相对密度(空气=1.0)				
4	分子量				
5	燃烧器处的燃料温度(℃)				
6	燃料气压力(表)：在燃烧器处可达到的(kPa)				
7	燃料气组成(摩尔分数)(%)				
8					
9					
10					
11					
12					
13					
14					
15					
16					
17					
18					
19					
20		总计			
21	液体燃料特性				
22	燃料类型				
23	低发热量 h_L(kJ/kg)				
24	相对密度(在15℃)				
25	H/C 比(质量)				
26	黏度,在 ℃下 (MPa·s)				

续表 A.0.2

燃烧器数据表		SI 单位	
		修改: 日期:	第4页 共6页
用户/业主:		设备编号:	
用途:		工厂位置:	
液体燃料特性			
27	黏度,在　　℃下　（MPa·s）		
28	钒(mg/kg)		
29	钾(mg/kg)		
30	钠(mg/kg)		
31	镍(mg/kg)		
32	固定氮(mg/kg)		
33	硫(质量分数)(%)		
34	灰分(质量分数)(%)		
35	水分(质量分数)(%)		
36	蒸馏数据:　　ASTM 初馏点(℃)		
37	ASTM 中馏点(℃)		
38	ASTM 终馏点(℃)		
39	燃烧器处的燃料温度(℃)		
40	燃料压力(表):在燃烧器处可达到的(kPa)		
41	雾化介质:　　空气/蒸汽/机械		
42	温度(℃)		
43	压力(表)(kPa)		
44	注:		
45			
46			
47			
48			
49			
50			
51			
52			
53			

续表 A.0.2

燃烧器数据表			SI 单位	
		修改:	日期:	第5页 共6页
用户/业主:			设备编号:	
用途:			工厂位置:	
	其他			
1	燃烧器风箱: 普通/集成			修改
2	材料			
3	板厚(mm)			
4	内衬			
5	空气入口控制: 挡板/调风门			
6	操作方法			
7	泄漏量(%)			
8	燃烧器砖: 组成			
9	最低使用温度(℃)			
10	噪声规范			
11	降噪方法			
12	油漆要求			
13	点火孔: 尺寸/数量			
14	看火孔: 尺寸/数量			
15	火焰监测: 类型			
16	数量			
17	监测连接: 尺寸/数量			
18	雾化介质和燃料油安全连锁系统			
19	性能试验要求(是或否)			
20	排放要求:			
21	辐射室桥墙温度(℃)			
22	NO_x ml/m³(干基)或 g/GJ(h_L)(h_H)			
23	CO ml/m³(干基)或 g/GJ(h_L)(h_H)			
24	未燃烃 ml/m³(干基)或 g/GJ(h_L)(h_H)			
25	颗粒物 g/GJ(h_L)(h_H)			
26	SO_x ml/m³(干基)或 g/GJ(h_L)(h_H)			
27				
28	校正至3%O_2(设计放热量下的干基)			

续表 A.0.2

燃烧器数据表		SI 单位	
		修改： 日期：	第6页 共6页
用户/业主：		设备编号：	
用途：		工厂位置：	
	其他		
29			
30	注:1 在设计条件下,当调风门全开时,至少应有90%的有效抽力是用于通过燃烧器,且至少应有75%的空气侧压降是用于通过燃烧器的喉口。		
31	2 燃烧器供应商应保证燃烧器火焰长度。		
32	3 燃烧器供应商应保证通过燃烧器的过剩空气量、燃烧器放热量和通过燃烧器的压力降。		
33			
34			
35			
36			
37			
38			
39			
40			
41			
42			
43			
44			
45			
46			
47			
48			
49			
50			
51			
52			
53			
54			
55			

A.0.3 空气预热器数据表应符合表 A.0.3 的规定。

表 A.0.3 空气预热器数据表

空气预热器数据表						SI 单位	
				修改：	日期：	第1页	共4页
用户/业主：				设备编号：			
用途：				工厂位置：			
1	制造厂(商)：						修改
2	型号：						
3	数量：						
4	传热面积(m^2)						
5	质量(kg)						
6	外形尺寸(高×宽×长)(m)						
7	性能数据						
8	操作工况						
9							
10	空气侧：	入口流量(kg/s)					
11		入口温度(℃)					
12		出口温度(℃)					
13		压降允许值(Pa)					
14		压降计算值(Pa)					
15		吸热量(MW)					
16	烟气侧：	入口流量(kg/s)					
17		入口温度(℃)					
18		出口温度(℃)					
19		压降允许值(Pa)					
20		压降计算值(Pa)					
21		放热量(MW)					
22	空气旁路流量(kg/s)						
23	至燃烧器空气总流量(kg/s)						
24	混合空气温度(℃)						
25	烟气组成(摩尔分数)(%)($O_2/N_2/H_2O/CO_2/SOx$)						
26	烟气比热容[kJ/(kg·K)]						
27	烟气酸露点温度(℃)						

续表 A.0.3

空气预热器数据表		SI 单位			
		修改：	日期：	第2页	共4页
用户/业主：			设备编号：		
用途：			工厂位置：		
性能数据					
28	最低金属温度允许值(℃)				
29	最低金属温度计算值(℃)				
30	其他				
31	最低环境空气温度(℃)				
32	装置区海拔高度(m)				
33	相对湿度(%)				
34	外部冷空气旁路(是/否)				
35	冷端热电偶(是/否)数量				
36	人孔门:数量/尺寸/位置				
37	隔热(内部/外部)：				
38	清灰介质：	蒸汽或水			
39		压力(表)(kPa)			
40		温度(℃)			
41					
42	机械设计：				
43	设计烟气温度(℃)				
44	设计压差(Pa)				
45	地震烈度				
46	油漆要求				
47	泄漏试验				
48	结构风荷载(kg/m²)				
49	空气泄漏率(保证的最大值)(%)				
50	注:所有数据均以单个单元为基准。				
51					
52					

续表 A.0.3

空气预热器数据表			SI 单位	
		修改：	日期：	第3页 共4页
用户/业主：			设备编号：	
用途：			工厂位置：	
结构数据				
1	Ⅰ 铸铁式：			修改
2		程数		
3		每区片数		
4		分区数		
5		表面类型		
6		管子材质		
7		管子厚度(mm)		
8		玻璃管区(是/否)		
9		玻璃管数		
10	跨接风道：	数量		
11		螺栓连接/焊接		
12		带卡箍		
13	水冲洗：	是/否		
14		类型(离线或在线)		
15		位置		
16				
17	Ⅱ 板式：			
18		程数		
19		每区板数		
20		分区数		
21		板厚(mm)		
22		空气通道宽度(mm)		
23		烟气通道宽度(mm)		
24		空气侧肋距(mm)		
25		烟气侧肋距(mm)		
26	材质：	板		
27		肋		

续表 A.0.3

	空气预热器数据表		SI 单位	
			修改: 日期:	第4页 共4页
用户/业主:			设备编号:	
用途:			工厂位置:	
		结构数据		
28		框架		
29	跨接风道:	数量		
30		螺栓连接/焊接		
31		带卡箍		
32	水冲洗:	是/否		
33		类型(离线或在线)		
34		位置		
35				
36	Ⅲ 热管式:			
37		管数		
38		管外径/壁厚(mm)		
39		管子材质		
40		每排管数		
41		管排数		
42		管心距(正方形/三角形)(mm)		
43			空气侧	烟气侧
44	翅片:类型			
45		高度×厚度×数量(m)		
46		材质		
47		有效长度(m)		
48		加热面积(m²)		
49		最高允许使用温度(℃)		
50	吹灰器:	是/否		
51		类型		
52		位置		
53	注:			
54				

A.0.4 通风机数据表应符合表 A.0.4 的规定。

表 A.0.4 通风机数据表

通风机数据表				SI 单位		
				修改：	日期：	第1页 共4页
用户/业主：				设备编号：		
用途：				工厂位置：		
设备名称：		台数：		操作： 台	备用： 台	
风机制造厂：		型式：		型号：		
○操作条件						
1			入口工况	正常	额定	其他
2		1	质量流量(kg/h)			
3	气体名称：	2	体积流量(标)(Nm³/h)			
4		3	入口静压(表)(Pa)			
5		4	出口静压(表)(Pa)			
6		5	入口温度(℃)			
7	腐蚀/磨蚀介质					
8	安装环境	○室内 ○室外 ○腐蚀		防腐等级	○危险介质分级分组： 危险区类别：	
9	相对湿度(%)			通风机控制方式		
10	平均分子量			□入口挡板		
11	进口条件下密度 (kg/m²)			□出口挡板		
12	绝热指数 K			□入口导向叶片		
13	环境温度(℃)			□变频		
14	压缩系数 Z					
15	注：					
□性能						
16	性能曲线号			级数		
17	内效率(%)			叶轮直径(mm)		
18	全压效率/静压效率(%)			壳体设计压力 (表)(kPa)		
19	轴功率(kW)			比转速		

续表 A.0.4

通风机数据表					SI 单位				
					修改:	日期:	第2页 共4页		
用户/业主:					设备编号:				
用途:					工厂位置:				
设备名称:		台数:			操作: 台 备用: 台				
风机制造厂:		型式:			型号:				
20	风机转速/临界转速(r/min)				轴向推力(kN)				
21	噪声等级(dB)				惯性矩(kg·m²)				
22	注:								
△结构									
23	主管口	名称	公称尺寸		压力等级		密封面	位置	
24		进口							
25		出口							
26	进气室位置	○	○	○	○	○	○	○	○
27		逆 0°	逆 45°	逆 90°	逆 135°	逆 180°	顺 0°	顺 45°	顺 90°
28									顺 135° / 顺 180°
29	壳体开孔		○放空		○放净		○仪表	□其他	
30		型式							
31		规格							
32	壳体支撑方式	□底脚		□轴中心线		□悬挂			
33	壳体剖分型式	□轴向		□径向					
34	风机转向	□顺时针		□逆时针		(从电机侧看风机)			
35	叶轮型式及支撑方式	□闭式		□半开式		□开式	□悬臂	□双支承	
36	轴承型式	径向轴承:	□滑动		□滚动		□轴承型号:		
37		止推轴承:	□滑动		□滚动		□轴承型号:		
38	润滑方式	□油脂		□油环		□压力润滑	□油牌号:		
39	进口挡板	□手动调节		□气动调节		□无			

续表 A.0.4

通风机数据表			SI 单位		
			修改：	日期：	第3页 共4页
用户/业主：			设备编号：		
用途：			工厂位置：		
设备名称：		台数：	操作： 台		备用： 台
风机制造厂：		型式：	型号：		

40	底座	□风机与驱动机共用		□分开
41	传动方式	○直联	○齿轮箱	○皮带
42	联轴器	○弹性柱销	○弹性膜片	○带加长段
43	仪表	○轴承测温 ○就地	○远传	○类型
44		○测振 ○轴承	○轴承箱 ○壳体	○类型
45	其他	□检查和清洗口 □进口滤网	□进口消声器	□出口消声器
46	○填料密封	○迷宫密封	○浮环密封	
47	□型式			
48	□填料环数量			
△冷却				
49	○冷却部位	○轴承箱	○密封箱	○支座
50	○冷却水	○循环水 ○新鲜水	○冷凝水	○盐水
51	□总冷却水量；(m³/h)	○进水/回水压力(表)/(MPa)	○进/出口温度/(℃)	
52	管道材料：	○碳钢无缝钢管	○不锈钢无缝钢管	
53	其他要求：			
□材料				
54	壳体	轴套	衬里	
55	叶轮	垫片		
56	轴	底盘		
○电动机				
57	○制造厂		○额定功率(kW)	
58	○安装型式	○B3 ○V1	○型号	
59	○防爆要求		○防护/绝缘要求	
60	进线方式	○钢管布线 ○塑套电缆	○启动方式	○直接 ○Y—△ ○启动设备
61	○电源(电压/相/频率)	(V)/Ph/(Hz)	○转速(r/min)	

续表 A.0.4

通风机数据表			SI 单位		
			修改：	日期：	第4页 共4页

用户/业主：　　　　　　　　　　设备编号：
用途：　　　　　　　　　　　　　工厂位置：
设备名称：　　　　台数：　　　　操作：　　台　　备用：　　台
风机制造厂：　　　　型式：　　　　型号：

62	□启动时间(s)		□堵转时间(s)	
63	□启动电流(A)		□堵转时间(A)	
64	□额定电流(A)		□功率因数	

	○检验和试验					
65		气动性能试验	静平衡试验	动平衡试验	水压试验	机械运行试验	试验后拆卸与检查
66	观察	○	○	○	○	○	○
67	非见证	○	○	○	○	○	○
68	见证	○	○	○	○	○	○

	□质量(kg)				
69	总质量	风机	驱动机	底盘	最大维修件

	○主要供货范围		
70	○风机　　○驱动机	○共用底座	○地脚螺栓、螺母、垫片
71	○联轴器　　○防护罩(○无火花型)	○进口滤网	○入口调节挡板
72	○消声器　　○进口导叶	○皮带传送装置	○仪表
73	○要求以法兰连接的辅助管线要配到底盘端面	○进、出口配对法兰及螺栓、螺母、垫片	
74	○进口软连接　　○隔热材料	○其他	
75			

	表面准备和涂漆		
76	○制造厂标准		
77	○风机表面准备程序	○底漆：	○面漆：
78	○驱动机表面准备程序	○底漆：	○面漆：

	包装运输	
79	○国内　　○出口　　○露天存放超过六个月	

	△说明
80	
81	
82	
83	
84	
85	

注：○由买方填写　　□由制造厂填写　　△双方共同填写

A.0.5 吹灰器数据表应符合表 A.0.5 的规定。

表 A.0.5 吹灰器数据表

吹灰器数据表		SI 单位		
		修改：	日期：	第1页 共2页
用户/业主：		设备编号：		
用途：		工厂位置：		
1	操作数据：			修改
2	燃料油类型/分子量			
3	硫(质量分数)(%)			
4	钒(mg/kg)			
5	镍(mg/kg)			
6	灰分(质量分数)(%)			
7	吹灰管位置			
8	吹灰器处烟气温度,最高(℃)			
9	吹灰器处烟气压力,最高(Pa)			
10	吹灰介质			
11	公用工程数据：			
12				
13	蒸汽_____kPa 在_____℃,每台吹灰器_____kg/s			
14				
15	空气_____kPa,每台吹灰器(标准状态)_____m³/s			
16				
17	电源_____V_____相_____Hz			
18				
19	布置数据：			
20	炉管外径(mm)			
21	炉管长度(m)			
22	炉管间距(错排/顺排)(mm)			
23	管束宽度(m)			
24	中间管板数量			
25	吹灰管尺寸(最小间距)(mm)			
26	最大吹扫半径(m)			

续表 A.0.5

	吹灰器数据表	SI 单位		
		修改：	日期：	第2页 共2页
	用户/业主：	设备编号：		
	用途：	工厂位置：		
27	扩面管类型			
28	扩面管管排数			
29	衬里厚度(mm)			
30	吹灰器数据：			
31	制造厂(商)			
32	类型			
33	型号			
34	数量			
35	排数			
36	每排数量			
37	布置			
38	操作			
39	控制要求			
40	控制面板位置(现场或遥控)			
41	驱动器类型(手动、气动或电动)			
42	电气区域等级			
43	电动机启动器等级			
44	电动机:(kW)			
45	机壳			
46	(r/min)			
47	吹灰管行进速度			
48	管头： 材质和规格			
49	穿墙处密封要求			
50	注：			

附录 B 炉管支承件设计用应力曲线

B.0.1 炉管支承件设计用应力曲线可由图 B.0.1-1～图 B.0.1-13 确定。

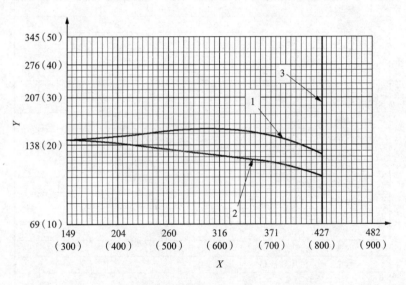

图 B.0.1-1 碳钢铸件：ASTM A 216，Grade WCB

X—温度[℃(℉)]；Y—压力[MPa(psi×1000)]；

1—1/3 抗拉强度；2—2/3 屈服强度；3—最高设计温度

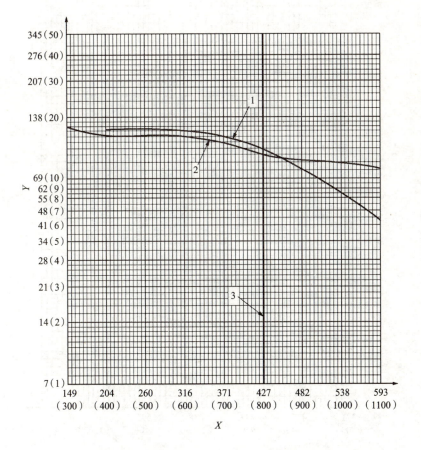

图 B.0.1-2 碳钢钢板:ASTM A 283,Grade C

X—温度[℃(℉)];Y—压力[MPa(psi×1000)];

1—1/3 抗拉强度;2—2/3 屈服强度;3—最高设计温度

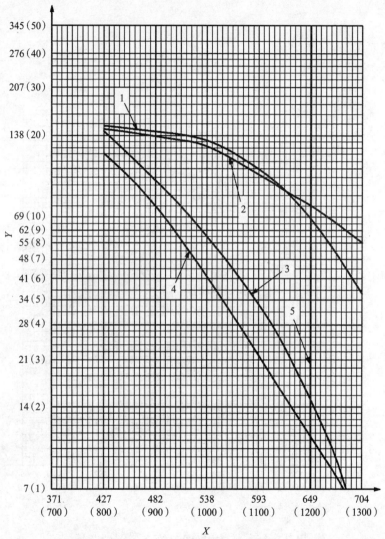

图 B.0.1-3 $2^1/_4$ Cr-1Mo 铸件;ASTM A 217,Grade WC9

X—温度[℃(℉)];Y—压力[MPa(psi×1000)];

1—2/3屈服强度;2—1/3抗拉强度;3—断裂强度的50%(10000h);

4—1%蠕变强度的50%(10000h);5—最高设计温度

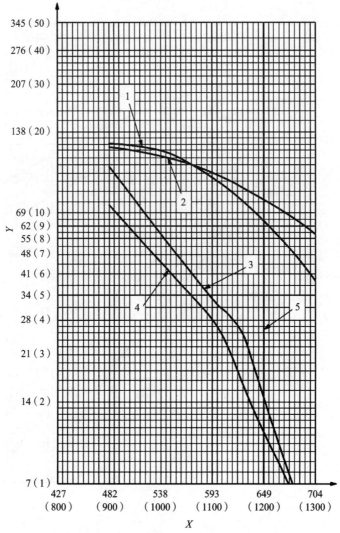

图 B.0.1-4 2¼Cr-1Mo 钢板：ASTM A 387,Grade 22,Class 1

X—温度[℃(℉)];Y—压力[MPa(psi×1000)];

1—2/3 屈服强度;2—1/3 抗拉强度;3—断裂强度的 50%(10000h);

4—1%蠕变强度的 50%(10000h);5—最高设计温度

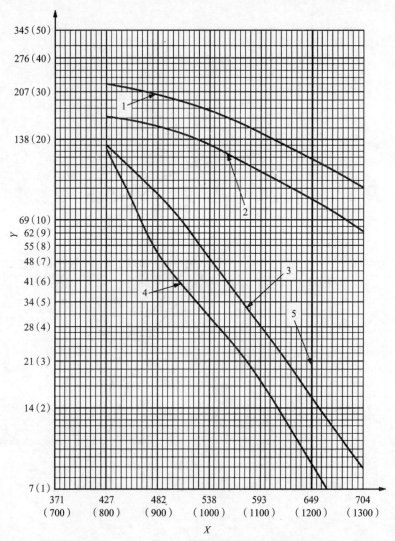

图 B.0.1-5 5Cr-$^1/_2$Mo 铸件:ASTM A 217,Grade C5
X—温度[℃(℉)];Y—压力[MPa(psi×1000)];
1—2/3屈服强度;2—1/3抗拉强度;3—断裂强度的50%(10000h);
4—1%蠕变强度的50%(10000h);5—最高设计温度

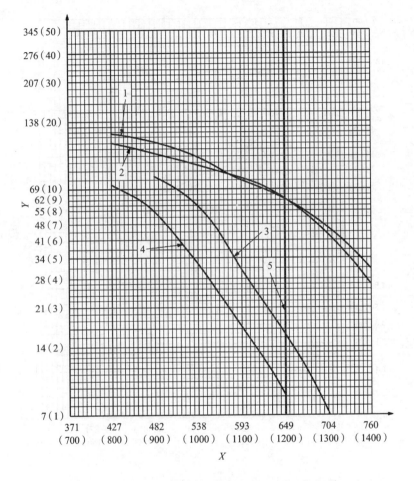

图 B.0.1-6　5Cr-$\frac{1}{2}$Mo 钢板:ASTM A 387,Grade 5,Class 1

X—温度[℃(℉)];Y—压力[MPa(psi×1000)];

1—1/3 抗拉强度;2—2/3 屈服强度;3—断裂强度的 50%(10000h);

4—1‰蠕变强度的 50%(10000h);5—最高设计温度

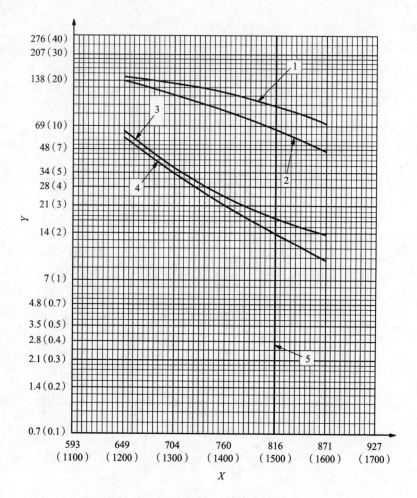

图 B.0.1-7　19Cr-9Ni 铸件：ASTM A 297,Grade HF

X—温度[℃(℉)]；Y—压力[MPa(psi×1000)]；

1—2/3 屈服强度；2—1/3 抗拉强度；3—断裂强度的 50%(10000h)；

4—1% 蠕变强度的 50%(10000h)；5—最高设计温度

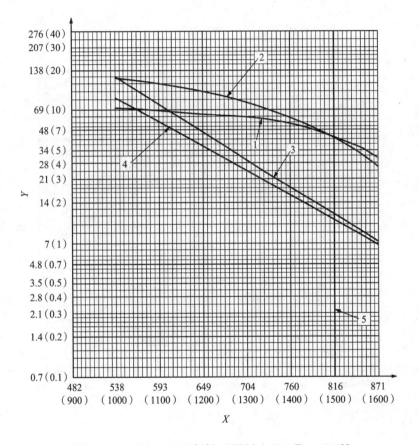

图 B.0.1-8 Type 304H 钢板:ASTM A 240,Type 304H

X—温度[℃(℉)];Y—压力[MPa(psi×1000)];

1—2/3 屈服强度;2—1/3 抗拉强度;3—断裂强度的 50%(10000h);

4—1%蠕变强度的 50%(10000h);5—最高设计温度

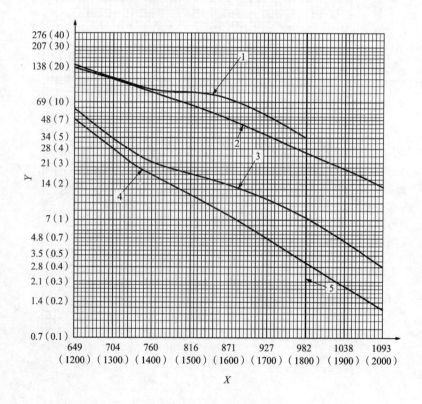

图 B.0.1-9 25Cr-12Ni 铸件:ASTM A 447,Grade HH,Type II

X—温度[℃(℉)];Y—压力[MPa(psi×1000)];

1—2/3 屈服强度;2—1/3 抗拉强度;3—断裂强度的 50%(10000h);

4—1% 蠕变强度的 50%(10000h);5—最高设计温度

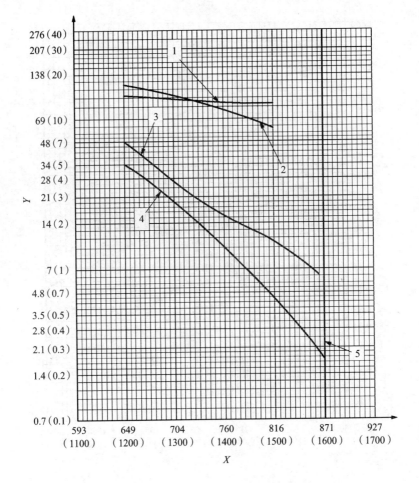

图 B.0.1-10 Type 309H 钢板:ASTM A 240,Type 309H

X—温度[℃(℉)];Y—压力[MPa(psi×1000)];

1—2/3 屈服强度;2—1/3 抗拉强度;3—断裂强度的 50%(10000h);

4—1%蠕变强度的 50%(10000h);5—最高设计温度

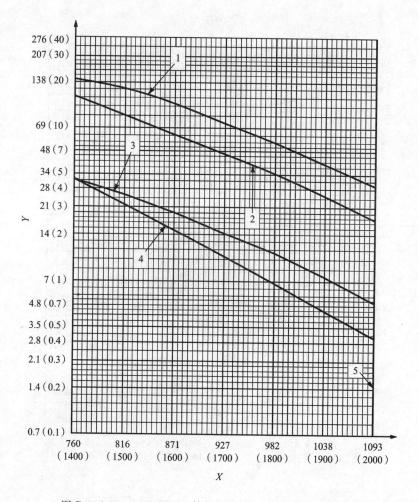

图 B.0.1-11 25Cr-20Ni 铸件：ASTM A 351，Grade HK40

X—温度[℃(℉)]；Y—压力[MPa(psi×1000)]；

1—2/3 屈服强度；2—1/3 抗拉强度；3—断裂强度的 50%(10000h)；

4—1% 蠕变强度的 50%(10000h)；5—最高设计温度

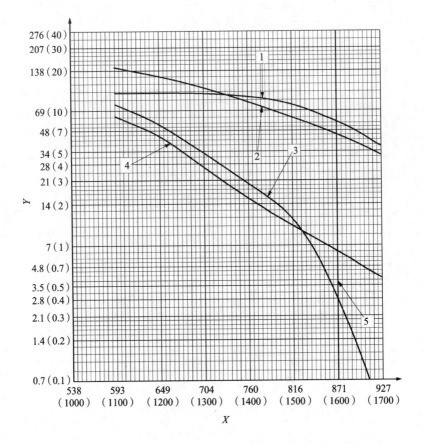

图 B.0.1-12 Type 310H 钢板:ASTM A 240,Type 310H

X—温度[℃(℉)];Y—压力[MPa(psi×1000)];

1—2/3 屈服强度;2—1/3 抗拉强度;3—断裂强度的 50%(10000h);

4—1%蠕变强度的 50%(10000h);5—最高设计温度

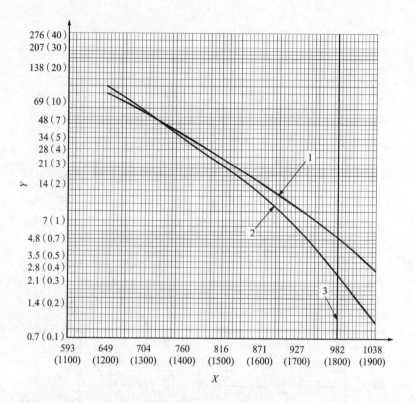

图 B.0.1-13 50Cr-50Ni-Nb 铸件：ASTM A 560,Grade 50Cr-50Ni-Nb

X—温度[℃(℉)]；Y—压力[MPa(psi×1000)]；

1—断裂强度的 50%(10000h)；2—1%蠕变强度的 50%(10000h)；

3—最高设计温度

B.0.2 计算最小壁厚时，铸造材料的许用应力应乘以铸造质量系数 0.8。

B.0.3 按应力计算的截面尺寸还应满足制造工艺对壁厚的要求。

附录 C 加热炉系统用离心通风机

C.1 通风机主机

Ⅰ 一般规定

C.1.1 通风机组以及辅助设备的设计和制造应满足 20 年使用寿命和 3 年连续运转的要求,通风机以下简称风机。

C.1.2 风机所需要的流量、进出口压力、压升、温度、进口气体组成和密度等完整的操作数据应符合下列规定:

　　1 正常操作点是加热炉长期运行的工作点,风机的最佳效率点应接近正常操作点;

　　2 风机额定点应能满足加热炉所需的最大流量,在任何情况下,送风机额定点流量不得低于正常操作点流量的 115%,引风机额定点流量不得低于正常操作点流量的 120%;

　　3 在预期的性能曲线范围内,风机的额定点应能涵盖所有规定的操作工况,如图 C.1.2 所示。

C.1.3 风机的临界转速应符合本规范第 C.1 节第 Ⅴ 分节的规定。根据驱动机的不同类型,风机的跳闸转速按下列规定确定:

　　1 蒸汽轮机跳闸转速应为 110% 的最大连续转速;

　　2 燃气轮机跳闸转速应为 115% 的最大连续转速;

　　3 变频电机跳闸转速应为 110% 的最大连续转速。

C.1.4 风机、烟风道和辅助设备的布置,应有足够用于操作、维护、拆装的空间和安全通道。

C.1.5 电机、电气元件和电气安装应满足设计文件中规定的危险区域等级,并应符合现行国家标准《爆炸性环境 第 14 部分:场所分类 爆炸性气体环境》GB 3836.14 和《爆炸危险环境电力装置设计规范》GB 50058 的规定。

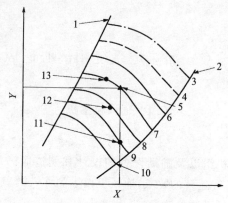

图 C.1.2 风机性能曲线示意

X—进口流量;Y—静压;

1—喘振线;2—流量极限线;3—临界转速;4—跳闸转速;5—额定点;
6—可调速驱动机的最大连续转速(105%=100%×1.05);7—100%转速;
8—正常转速;9——个操作点转速;10—最低操作转速;11—操作点;
12—正常操作点;13—规定操作点

注:除了标明的具体数值关系之外,本图所示的相对数值仅为图解用的假定值。

C.1.6 风机组的设计应能快速方便地维护。风机机壳、锥体进风口和轴承座等主要部件的设计和制造,应保证再组装时能精确对中,最终对中后可采用现场定位销固定。

C.1.7 风机进出口管路应有独立的支承且应设有软连接件,不得将外力施加在机壳上而影响风机的正常运行。

C.1.8 风机基础设计所需要的条件应有风机的静荷载、动荷载、重心作用点以及对基础的振幅与频率的要求等。

C.1.9 风机应能满足无顶棚、室外运行的要求。

C.1.10 风机的操作转速不宜超过 1500r/min。

C.1.11 当出现下列任一情况时,风机宜采用符合现行国家标准《通风机基本型式、尺寸参数及性能曲线》GB/T 3235 的 E 型或 F 型风机:

    1 驱动机额定功率大于或等于 110kW;

    2 转速大于 1500r/min;

    3 最高操作温度大于 235℃；

    4 存在腐蚀和磨蚀的工况；

    5 存在污垢堆积的工况。

    除上述情况外，可采用现行国家标准《通风机基本型式、尺寸参数及性能曲线》GB/T 3235 中的 A、B、C、D 型风机，其轴承可独立安装于风机的机壳外。

C.1.12 风机的选用应符合下列规定：

    1 在磨蚀工况和转子污垢堆积时宜采用较低转速；

    2 电机额定功率大于 75kW 时不宜采用皮带传动。

C.1.13 当驱动机的额定功率小于 30kW 且转速大于 1500r/min 时，可采用现行国家标准《通风机基本型式、尺寸参数及性能曲线》GB/T 3235 中 E 型和 F 型以外的风机类型。

C.1.14 风机的设计应防止空气或烟气侵入轴承。

C.1.15 风机性能应以静压差为基准，即不包括出口动压。在规定风机性能时，应计及进口动压的影响。静压差应计及进口和出口静压的差值、消声器压力损失和进口压力损失。进口压力损失还应包括流量调节挡板的压力损失。

C.1.16 风机从 100%～60% 额定流量的范围内应具有连续上升的压力—流量曲线。

C.1.17 风机的机械设计温度应高出风机最高预期入口温度 56℃。

C.1.18 风机及其附件应能承受负荷快速变化时的全部荷载和应力。

C.1.19 风机入口设计应符合下列规定：

    1 送风机空气吸入口应高于地面 4.5m；

    2 送风机进口部件应包括进风帽或进风罩、防护网、烟风道及其支承、进口调节挡板或导叶、进气箱、消声器和进口软连接件，所有单独运输的部件应采用法兰连接。风机进口部件应能承受规定的风荷载。

C.1.20 风机和驱动机宜安装在公用底座上。

C.1.21 风机可采用电机变频调速驱动、蒸汽轮机调速驱动或其他调速方式。

C.1.22 距风机组 1m 处的噪声不得大于 85dB(A)。

Ⅱ 风机定子

C.1.23 风机蜗壳和机壳侧板应采用连续焊的钢板结构。送风机壳体的板厚不应小于 5mm，引风机的板厚不应小于 6mm。机壳应采用加强筋增加刚性。外加强筋与机壳的连接可采用间断焊。没有加强筋的机壳壁平面部分表面积不得超过 $0.37m^2$。E 型和 F 型风机机壳和进气箱应采用法兰连接的分体式结构，叶轮直径大于 1100mm 的其他型式风机也应采用类似的分体式结构。锥体进风口的结构不得妨碍转子的拆装。锥体进风口应能单独拆装或与转子一起拆装。

C.1.24 风机壳体和进气箱上应设有检查孔，其尺寸不应大于 600mm×600mm。检查孔盖板应采用螺栓垫片连接。

C.1.25 风机机壳进出口应采用法兰连接。

C.1.26 风机机壳和进气箱的最低点应设置易接近的排放管，其最小直径应为 50mm，并应带有阀门。

Ⅲ 转动部件

C.1.27 风机叶轮应具有无过载的功率特性，可采用下列叶片类型中的一种：

  1 空心翼形结构叶片，叶片前后工作面的板厚不应小于 2.5mm，结构设计上应防止冷凝液、灰垢或腐蚀介质等在内部积聚；

  2 应为实心翼形结构叶片；

  3 单层最小厚度应为 6mm 的非翼形结构。

C.1.28 引风机的设计应能在含尘气体环境下操作。

C.1.29 风机叶轮应采用焊接结构。叶轮的轮盖和轮盘宜是整体结构，当采用拼焊结构时，焊缝应为全焊透对接形式。焊缝检验应符合本规范第 C.7 节第 I 分节的要求。风机叶轮材料应能适应风机输送的气体组分及介质腐蚀、磨蚀和温度要求。

C.1.30 应说明风机所能承受的最大气体温度变化率,以保证叶轮和轴处于良好的配合状态。

C.1.31 叶轮轮盘应为实心结构,轮盘与轴为键连接,且应采用过盈配合。机械设计温度小于 150℃ 时,轮盘材料可采用灰铸铁或球墨铸铁。当叶轮与轮盘采用螺栓连接时,应在设计上保证叶轮与轮盘之间没有相对位移。

C.1.32 轴宜采用经过热处理的整体锻钢制造。直径小于或等于 150mm 的轴可以用热轧钢制造。对于 E 型或 F 型风机,在叶轮两侧应设计成方便叶轮拆装的阶梯式轴颈。运行温度超过 120℃ 的风机,粗加工后的轴在径向方向应留 6mm 的精加工余量,并应在最终精加工前消除应力。

C.1.33 从零到额定转速的范围内,轴应能承受 110% 的额定传动转矩。

C.1.34 引风机的轴封处应设有防腐轴套。轴套伸入机壳内的长度不应小于 150mm。

Ⅳ 风机轴封

C.1.35 风机应配置轴封,轴封应能适应风机的各种变化工况。

C.1.36 轴封应能在进气箱和机壳外面更换而不需要移动轴或轴承。

Ⅴ 临界转速和共振

C.1.37 风机横向振型的临界转速,其隔离裕度应大于最大连续转速的 25%。

C.1.38 风机的支承系统,在规定的操作转速范围内或临界转速的隔离裕度之外,不应发生共振。

C.1.39 在规定的操作转速范围内或临界转速的隔离裕度外,不应发生轴承箱共振。

C.1.40 临界转速应由转子响应分析确定。对于无使用业绩的风机,应采用试验数据来验证临界转速。

C.1.41 风机组轴系的临界转速应与所提供的风机临界转速相适应,并应能适应于规定的操作转速。

C.1.42 恒速驱动的风机,运行转速和机组扭振之间的隔离裕度应大于±10%。变速驱动的风机,应提供从零到跳闸转速范围内所有不适宜连续运行的转速列表。

Ⅵ 振动与平衡

C.1.43 包括联轴器在内的整个风机转子部件应做动平衡。残余不平衡量不得超过现行国家标准《机械振动 恒态(刚性)转子平衡品质要求 第1部分:规范与平衡允差的检验》GB/T 9239.1 的规定,平衡精度应为 G2.5。

C.1.44 机械运转试验应按本规范第 C.7.5 条在风机工厂完成。在运行转速下,轴承箱任一径向平面内测得的最大未滤波峰值振动速度不得超过 4mm/s。在跳闸转速下,上述振动速度不得超过 6mm/s。

Ⅶ 轴承和轴承箱

C.1.45 轴承应为耐磨滚动轴承或滑动轴承。

C.1.46 滚动轴承应为自调心式,其选择应符合下列规定:

1 DN 系数,即轴承内径(mm)与额定转速(r/min)的乘积,应小于 200000;

2 轴承寿命,即轴承在额定荷载和额定转速下运行有 10% 的轴承出现首次失效的时间,不应小于 100000h;

3 荷载系数,即额定功率(kW)与额定转速(r/min)的乘积,应小于 2013400;

4 在任何场合下,风机组不应使用至轴承的"最大荷载"。

C.1.47 推力轴承应适合在所有规定条件下连续运行,推力轴承的实际荷载不得超过轴承极限荷载的 50%。

C.1.48 在不拆卸烟风道和风机机壳的情况下,应能方便地维护轴承。悬臂式叶轮的风机设计应计及在轴承维修时转子的支撑。

C.1.49 引风机应在机壳或进气箱与相邻轴承之间设置带有安全防护罩的散热轮。

C.1.50 风机轴承箱应采取足够的冷却措施,并应计及结垢的影响。在规定的操作条件和43℃的环境温度下,强制润滑的回油温度应低于70℃,油环润滑或飞溅润滑的轴承温度应低于80℃。当使用冷却盘管时,应采用有色金属材料,且不应有内部接头。盘管的壁厚不应小于1.0mm,管径不应小于12.5mm。

C.1.51 轴承箱上应有用于销子锁定的定位销孔。

Ⅷ 润 滑

C.1.52 轴承应采用烃类润滑油润滑。滚动轴承不宜使用油脂润滑。

C.1.53 调节挡板和进口调节导叶的所有联动装置、轴上附件和轴承应长期润滑。需定期润滑的部件应设有可在风机运行时加注润滑剂的装置。

Ⅸ 材 料

C.1.54 材料应符合下列规定:

  1 风机过流部件材料的选择应计及烟气和环境中的腐蚀性介质和可能导致应力腐蚀开裂的组分;

  2 采用奥氏体不锈钢或其他类似易咬合材料制造的螺柱、螺母等连接件应涂以适用于规定温度的防咬合剂;

  3 不应使用在常温或低温下有缺口敏感和脆性断裂可能性的低碳钢,应使用细晶粒的全镇静正火钢;

  4 内部螺栓材料不得低于风机结构材料的级别;

  5 当操作温度低于－29℃时,风机用钢在规定的最低温度下应满足压力容器制造规范中最低夏比Ⅴ形缺口冲击能量所要求的强度。

C.1.55 焊接应符合下列规定:

  1 机壳和进气箱的焊接程序、焊缝修补和质量控制质量应符合现行行业标准《通风机　焊接质量检验技术条件》JB/T 10213

的规定；

2 所有转子部件的对接焊缝应为全焊透的连续焊缝；

3 除本规范第 C.1.23 条规定外，风机任何零部件或附件不得采用间断焊、连续点焊或点焊，组装时的零件定位焊应清除干净。

Ⅹ 铭牌和转动方向箭头

C.1.56 铭牌应牢固固定在风机和各主要附属设备的显著位置上。

C.1.57 铭牌上应清晰地铭刻额定条件和其他主要数据。这些数据应包括下列内容：

1 供货商名称；
2 出厂日期；
3 型号；
4 编号；
5 设备名称；
6 设备位号；
7 实际流量（m^3/min）；
8 静压差（mmH_2O）；
9 进口温度（℃）；
10 额定转速（r/min）；
11 最大允许转速（r/min）；
12 额定功率（kW）；
13 风机最高允许温度（℃）。

C.2 驱 动 机

C.2.1 驱动机的规格应满足风机额定点条件的要求，同时应计及外部传动装置和联轴器的损失。

C.2.2 送风机的驱动机规格应计及在最低环境温度下的风机性能。

C.2.3 引风机的驱动机规格应计及操作温度和气体密度的变化。

C.2.4 风机的启动条件和启动方法应满足工艺操作和风机启动特性的要求。风机的启动特性应与驱动机相匹配。

C.2.5 应提供驱动电机的满负荷电流和启动电流、转动惯量,以及电机的转矩-转速、电流-转速和功率因数-转速等性能曲线。

C.2.6 当控制调节挡板处于最小开度且电源电压为设计值的80%时,驱动电机应能正常启动风机。

C.2.7 驱动机功率的安全系数应符合表C.2.7的规定。

表 C.2.7 驱动机功率的安全系数

功　　率	安　全　系　数	
	蒸汽轮机/燃气轮机	电机
≤22kW	1.10	1.25
>22kW,≤55kW	1.10	1.15
>55kW	1.10	1.10

C.3 联轴器和防护罩

C.3.1 风机和驱动设备之间应配备弹性联轴器和防护罩。

C.3.2 联轴器应配有足够长度的中间短节,并设有方便拆卸的封闭型防护罩。

C.3.3 用于防爆区的防护罩应使用无火花型材料制造。

C.3.4 联轴器护罩应能承受900N来自各个方向的静压力。

C.4 控制和仪表

Ⅰ 一般规定

C.4.1 控制和仪表应按户外安装型进行设计。

C.4.2 风机的控制系统应根据风机的性能参数设计,并应适用于所有规定的操作条件。

Ⅱ 控 制 系 统

C.4.3 风机的控制参数可以是入口压力、出口压力、流量或者是这些参数的某种组合。风机控制可通过风机进口节流、出口节流或变转速实现。

C.4.4 恒速驱动风机的控制信号应输入到进口或出口调节挡板的执行机构。

C.4.5 变速驱动风机的控制信号应输入到风机速度控制系统，控制范围应是从最大连续转速到所有操作工况中最小转速的95%或最大连续转速的70%中的较小者。

C.4.6 控制信号全量程应与风机所需的操作范围相适应。最大控制信号应与最大连续转速或最大流量相匹配。

C.4.7 应能在失去控制信号时自动打开或关闭进口调节挡板或进口调节导叶，并在失去推动力时自动将进口调节挡板或进口调节导叶锁定在原来的位置上。

C.4.8 用于远程控制的执行器及其附属的连杆机构可在现场安装。执行器应能适用于调节挡板或进口调节导叶的全行程调节。

C.4.9 进口调节挡板或进口调节导叶应在外部设有位置指示器。

C.4.10 气动执行机构应能承受860kPa的空气压力（表），并能在不低于410kPa的压力（表）下提供所需的动力输出。

C.4.11 风机宜安装有测量轴承温度和轴承振动的仪表。

Ⅲ 调节挡板或进口调节导叶

C.4.12 除与进气箱成为一体外，调节挡板的壳体应是带法兰密封的钢结构，并用螺栓与风机或烟风道紧密连接成一体。根据控制要求，调节挡板可以是平行式叶片，也可以是对开式叶片。调节挡板应固定在通轴上。除了大气侧入口调节挡板外，其他挡板轴应设置相应的密封。

C.4.13 应提供调节挡板或调节导叶在规定的操作温度和压力下关闭时的最大预期泄漏量。

C.4.14 调节挡板或进口调节导叶应与调节机构连接。调节机构的设计应便于通过手动使挡板或导叶固定在任何所需要的位置上。

C.4.15 进口调节导叶调节机构应安装在流道的外侧。调节机构的位置应便于检查和维修，且应采用螺栓连接。

C.4.16 进口调节导叶与心轴宜为连续焊。

C.5 配管和附件

Ⅰ 进口滤网

C.5.1 输送大气的送风机应设置进口滤网。该滤网应采用最小直径为3mm的奥氏体不锈钢丝制造，正常的网眼规格应为38mm。滤网应采用横向构件支撑。垂直进风口上方应设置防雨罩。滤网支承和防雨罩的材质应为镀锌碳钢或按本规范第C.6.1条的要求涂漆。

Ⅱ 消声器和进风管

C.5.2 每个进口或出口消声器的阻力降不得大于200Pa。

C.5.3 消声器的设计应防止由气体脉动或机械共振造成的内部损坏。

C.5.4 吸声材料不应采用矿石纤维隔音材料。

C.5.5 消声器外壳应是钢结构，碳钢板的最小壁厚应为5mm。

C.5.6 进风管和消声器应采用法兰连接。

C.6 隔音、涂漆、保温和外保护层

C.6.1 涂漆应符合现行行业标准《通风机 涂装技术条件》JB/T 6886的规定。

C.6.2 当正常操作温度大于或等于83℃或风机要求隔音时，所有风机机壳、进气箱和排风管上的保温钉应在工厂焊接。厚度大于或等于50mm的保温层应设保温钉。

C.6.3 在无风和27℃的环境温度下，保温层应保证外保护层表

面的温度不大于83℃。保温材料可现场安装。

C.7 检测、试验和装运包装

Ⅰ 检 测

C.7.1 焊缝、铸钢件和锻件进行无损检测时,应符合下列规定:

　　1 射线检测的方法和验收标准应符合国家现行标准《承压设备无损检测　第2部分:射线检测》NB/T 47013.2的规定;

　　2 超声检测的方法和验收标准应符合国家现行标准《承压设备无损检测　第3部分:超声检测》NB/T 47013.3的规定;

　　3 磁粉检测的方法和验收标准应符合国家现行标准《承压设备无损检测　第4部分:磁粉检测》NB/T 47013.4的规定;

　　4 渗透检测的方法和验收标准应符合国家现行标准《承压设备无损检测　第5部分:渗透检测》NB/T 47013.5的规定。

C.7.2 机械检验应符合下列规定:

　　1 风机应在发运前进行工厂预组装,随机提供的驱动机和其他附件也应按规定进行工厂预组装,需要拆卸运输的所有相配零部件应设有相匹配的标记和标签以便现场组装,除受运输条件限制外的所有设备,应最大限度地组装发运;

　　2 在试验前,各个部件及其内部通道和所有配管及其附件应清理去除异物、锈斑和磨屑;

　　3 零件和热影响区的硬度值应通过试验证实在允许范围内。

Ⅱ 试 验

C.7.3 风机应在工厂进行机械运转试验和气动性能试验。气动性能试验应按现行国家标准《工业通风机　用标准化风道进行性能试验》GB/T 1236的有关规定执行。

C.7.4 机械运转试验的详细程序应包括所有检测参数的合格指标。

C.7.5 机械运转试验应符合下列规定:

　　1 变速驱动的风机应在0%至跳闸转速下运行,恒速驱动的风机应在100%转速或额定转速下运行,机械运转应在轴承温度稳定后以额定转速连续运行1h,变速驱动的风机转子应在110%的最大连续转速下做超速试验5min;

  2 超速试验后的每个叶轮应检查有无裂纹、变形或其他缺陷;

  3 轴承振动和温度等所有的试验数据应详细记录并保存,记录振动测定应在整个规定的转速范围内进行;

  4 在机械运转试验完成后,对水平剖分的轴承座应打开轴承座上盖进行轴承外观检查,对整体轴承座应打开轴承座端盖进行轴承外观检查,需要时还应将轴承拆下来检查;

  5 润滑油的压力、黏度和温度均应保持在测试风机的操作说明书中所推荐的数据范围内。

Ⅲ 装 运 包 装

C.7.6 风机组的装运包装应符合现行行业标准《风机包装　通用技术条件》JB/T 6444的规定。

C.7.7 装运包装应在设备完成所有的试验和检查后进行。

附录 D 火焰加热炉热效率测定

D.1 一般规定

Ⅰ 仪 表

D.1.1 应采用本规范第 D.1.2 条和第 D.1.3 条指定的仪表获取数据,并进行必要的计算确定加热炉的热效率,如图 D.1.1 所示。

D.1.2 测定烟气和预热后大于 260℃的燃烧用空气的温度时,应采用多层热屏蔽高速抽气式热电偶,如图 D.1.2 所示。当温度低于或等于 260℃时可采用带套管热电偶测量。环境空气、燃料和雾化剂的温度可用常规测温仪表测量。

D.1.3 烟气中的氧气和可燃气体应采用便携式或固定式分析仪测量。烟气分析可按湿基或干基,但计算应与所用的基准一致。

Ⅱ 测量数据

D.1.4 确定加热炉的操作条件应取得以下测量数据,当有多种工艺介质时,应采集下列工艺介质物料数据:

1 燃料流率;
2 工艺介质流率;
3 工艺介质进口温度;
4 工艺介质出口温度;
5 工艺介质进口压力;
6 工艺介质出口压力;
7 燃烧器处燃料压力;
8 燃烧器处雾化剂压力;
9 烟气抽力分布。

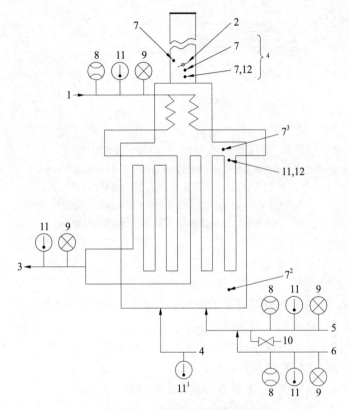

图 D.1.1 仪表及测量位置

1—物料入口;2—挡板;3—物料出口;4—空气入口;5—燃料入口;
6—雾化剂入口;7—负压计;8—流量表;9—压力表;
10—采样接口;11—温度表;12—氧含量的采样点

注:1 用内部热源预热空气的在其预热器之前,用外部热源预热空气的在其预热器之后。

2 在燃烧器附近。

3 炉顶。

4 用内部热源预热空气的在其预热器之后。

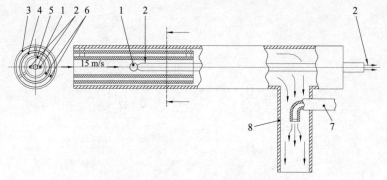

图 D.1.2 典型的(高速)抽气式热电偶

1—热电偶;2—至温度指示仪表的热偶线;3—外套管(薄壁 310 不锈钢管);
4—中间套管(薄壁 310 不锈钢管);5—内套管(薄壁 310 不锈钢管);
6—中间支架;7—压力大于或等于 0.6MPa 的蒸汽或空气,
从 0.6MPa 开始递增,直至稳定;8—热气引射器

D.2 测 试

Ⅰ 测试准备

D.2.1 在实际测试开始前的标定准备中,应确定下列各项:
  1 测试期间的操作条件;
  2 评估测试条件和设计条件之间的差异;
  3 可接受的燃料;
  4 仪器类型、测量方法和具体测量位置的选择。

D.2.2 在测试前应校准所有测试中需使用的仪表。

D.2.3 应在确认以下各项后进行实际测试:
  1 加热炉操作处于稳定状态;
  2 燃料是被认可的;
  3 加热炉火焰尺寸和形状、过剩空气、烟气抽力分布、吸热表面清洁程度和燃烧器燃烧稳定状况等方面操作正常。

Ⅱ 测 试

D.2.4 在整个测试阶段,应保持加热炉介质流量平稳。

D.2.5 测试应至少持续 4h。数据应从测试开始时采集,且每隔 2h 采集一次。

D.2.6 测试过程应延续至连续采集的 3 组数据误差均在表 D.2.6 规定的数值范围内。

表 D.2.6 允许的测量数据偏差

项 目	偏 差 值
燃料发热量	±5%
燃料流量	±5%
烟气中可燃组分含量	<0.5%
烟气温度	±5(℃)
烟气氧含量	±1%[1]
工艺介质流率	±5%
工艺介质进口温度	±5(℃)
工艺介质出口温度	±5(℃)
工艺介质进口压力	±5%
工艺介质出口压力	±5%

注:[1] 偏差值为仪表量程的 1%。

D.2.7 数据采集应符合下列规定:

1 每组数据应在 30min 内采集完成;

2 每组数据采集时,均应测量和记录气体燃料量,用于分析的燃料采样应同时进行;

3 对于气体燃料,低发热量应通过组分分析和计算获得;

4 每组数据采集时,均应测量和记录液体燃料量,在测量期间仅需要对液体燃料进行一次分析采样;

5 对于液体燃料,低发热量应采用热量计测得,液体燃料还应分析确定其碳氢比、硫含量、水含量和其他组分的含量;

6 应分析烟气样品以确定氧和可燃物的含量,样品应从最终换热(吸热)面的下游采集,当使用空气预热器时,样品应从空气预热器下游采集,采样点应横贯横截面以获得具有代表性的样品,采

样点不应少于4个,其间距不应大于1m;

7 烟气温度的测量位置应与抽取烟气分析样品的位置相同,对于设有空气预热器又可切换为自然通风操作的系统,应测量空气预热器在线时烟囱挡板上方的烟气温度,当通过所测温度发现有泄漏(即排烟温度高于空气预热器出口温度)时,应在该位置上采集烟气样品以确定正确的总热效率,采样点应横贯横截面以获得具有代表性的数据,采样点不应少于4个,其间距不应大于1m。

D.2.8 应按每组有效的数据分别计算热效率,以这些计算效率的算术平均值作为最终的计算结果。

D.3 热效率和燃料效率的确定

Ⅰ 热效率

D.3.1 多种典型火焰加热炉系统如图 D.3.1-1～图 D.3.1-3 所示,以燃料低发热量为基准的热效率应按下式计算:

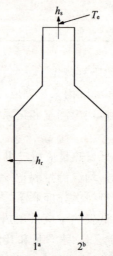

图 D.3.1-1 无预热空气系统的加热炉
1—燃料;2—环境空气;
注:a—$h_L + \Delta h_f + \Delta h_m$;b—$\Delta h_a$。

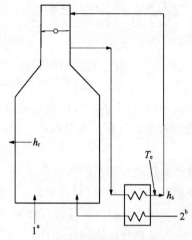

图 D.3.1-2 用自身热源预热空气系统的加热炉
1—燃料;2—环境空气;
注:a—$h_L+\Delta h_f+\Delta h_m$;b—$\Delta h_a$。

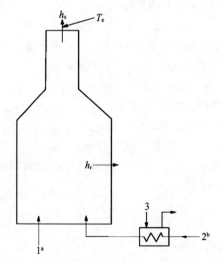

图 D.3.1-3 用外部热源预热空气系统的加热炉
1—燃料;2—环境空气;3—外部热量;
注:a—$h_L+\Delta h_f+\Delta h_m$;b—$\Delta h_a$。

$$e=\frac{(h_L+\Delta h_a+\Delta h_f+\Delta h_m)-(h_r+h_s)}{h_L+\Delta h_a+\Delta h_f+\Delta h_m}\times 100\%$$

(D.3.1-1)

$\Delta h_a=$（空气焓差）×（每千克燃料所需的空气质量）；

(D.3.1-2)

$\Delta h_f=$（燃料焓差）×（燃料质量）； (D.3.1-3)

$\Delta h_m=$（雾化剂焓差）×（每千克燃料所需的雾化剂量）；

(D.3.1-4)

式中：e——以燃料低发热量为基准的热效率；
h_L——所烧燃料的低发热量(kJ/kg)；
Δh_a——燃烧空气带入显热修正值(kJ/kg)；
Δh_f——燃料带入显热修正值(kJ/kg)；
Δh_m——雾化剂带入显热修正值(kJ/kg)；
h_r——散热损失(kJ/kg)；
h_s——排烟热损失(kJ/kg)。

Ⅱ 总 热 效 率

D.3.2 火焰加热炉系统的总热效率按下式计算：

$$e_g=\frac{(h_L+\Delta h_a+\Delta h_f+\Delta h_m)-(h_r+h_s)}{h_H+\Delta h_a+\Delta h_f+\Delta h_m}\times 100\%$$ (D.3.2)

e_g——加热炉系统总热效率；
式中：h_H——燃料的高发热量(kJ/kg)。

Ⅲ 燃 料 效 率

D.3.3 燃料效率应为总吸收热量与只考虑燃料燃烧供给热量的比值，应按下式计算：

$$e_f=\frac{(h_L+\Delta h_a+\Delta h_f+\Delta h_m)-(h_r+h_s)}{h_L}\times 100\%$$ (D.3.3)

式中：e_f——燃料效率。

本规范用词说明

1 为便于在执行本规范条文时区别对待,对要求严格程度不同的用词说明如下:
  1)表示很严格,非这样做不可的:
    正面词采用"必须",反面词采用"严禁";
  2)表示严格,在正常情况下均应这样做的:
    正面词采用"应",反面词采用"不应"或"不得";
  3)表示允许稍有选择,在条件许可时首先应这样做的:
    正面词采用"宜",反面词采用"不宜";
  4)表示有选择,在一定条件下可以这样做的,采用"可"。
2 条文中指明应按其他有关标准执行的写法为:"应符合……的规定"或"应按……执行"。

引用标准名录

《建筑结构荷载规范》GB 50009

《建筑抗震设计规范》GB 50011

《钢结构设计规范》GB 50017

《烟囱设计规范》GB 50051

《爆炸危险环境电力装置设计规范》GB 50058

《石油化工企业设计防火规范》GB 50160

《石油化工钢制设备抗震设计规范》GB 50761

《压力容器　第1部分:通用要求》GB 150.1

《压力容器　第2部分:材料》GB 150.2

《压力容器　第3部分:设计》GB 150.3

《压力容器　第4部分:制造、检验和验收》GB 150.4

《工业通风机　用标准化风道进行性能试验》GB/T 1236

《通风机基本型式、尺寸参数及性能曲线》GB/T 3235

《爆炸性环境　第14部分:场所分类　爆炸性气体环境》GB 3836.14

《固定式钢梯及平台安全要求》GB 4053

《铸钢件射线照相检测》GB/T 5677

《涂覆涂料前钢材表面处理　表面清洁度的目视评定　第1部分:未涂覆过的钢材表面和全面清除原有涂层后的钢材表面的锈蚀等级和处理等级》GB/T 8923.1

《机械振动　恒态(刚性)转子平衡品质要求　第1部分:规范与平衡允差的检验》GB/T 9239.1

《铸钢件渗透检测》GB/T 9443

《铸钢件磁粉检测》GB/T 9444

《水管锅炉　第 4 部分:受压元件强度计算》GB/T 16507.4

《压力管道规范　工业管道　第 1 部分:总则》GB/T 20801.1

《压力管道规范　工业管道　第 2 部分:材料》GB/T 20801.2

《压力管道规范　工业管道　第 3 部分:设计和计算》GB/T 20801.3

《压力管道规范　工业管道　第 4 部分:制作与安装》GB/T 20801.4

《压力管道规范　工业管道　第 5 部分:检验与试验》GB/T 20801.5

《压力管道规范　工业管道　第 6 部分:安全防护》GB/T 20801.6

《风机包装　通用技术条件》JB/T 6444

《通风机　涂装技术条件》JB/T 6886

《通风机　焊接质量检验技术条件》JB/T 10213

《承压设备无损检测　第 1 部分:通用要求》NB/T 47013.1

《承压设备无损检测　第 2 部分:射线检测》NB/T 47013.2

《承压设备无损检测　第 3 部分:超声检测》NB/T 47013.3

《承压设备无损检测　第 4 部分:磁粉检测》NB/T 47013.4

《承压设备无损检测　第 5 部分:渗透检测》NB/T 47013.5

《承压设备焊接工艺评定》NB/T 47014

《炼油厂加热炉炉管壁厚计算方法》SH/T 3037

《石油化工管式炉钢结构设计规范》SH/T 3070

《石油化工管式炉碳钢和铬钼钢炉管焊接技术条件》SH/T 3085

《石油化工管式炉钢结构工程及部件安装技术条件》SH 3086

《石油化工管式炉耐热钢铸件技术标准》SH 3087

《石油化工管式炉轻质浇注料衬里工程技术条件》SH/T 3115

《石油化工管式炉铬钼钢焊接回弯头技术规范》SH/T 3127

《高频电阻焊螺旋翅片管》SH/T 3415

《石油化工管式炉高合金炉管焊接工程技术条件》SH/T 3417

《石油化工管式炉钉头管技术标准》SH/T 3422
《管式炉安装工程施工及验收规范》SH/T 3506
《石油化工筑炉工程施工质量验收规范》SH/T 3534
《石油化工筑炉工程施工技术规程》SH/T 3610

中华人民共和国国家标准

炼油装置火焰加热炉工程技术规范

GB/T 51175-2016

条 文 说 明

制 订 说 明

《炼油装置火焰加热炉工程技术规范》GB/T 51175—2016 经住房城乡建设部 2016 年 8 月 18 日以第 1258 号公告批准发布。

本规范在编制过程中,编制组对我国炼油装置火焰加热炉进行了大量的调查研究,同时参考了国际标准《石油、石化和天然气工业 一般炼油装置用火焰加热炉》ISO 13705:2012 和美国石油学会标准《一般炼油装置用加热炉》API STD 560—2007,总结了国内外火焰加热炉工程应用成熟的经验,融合其他相关行业经验,按照工程建设国家标准编制的总体要求进行编制。本规范适用于炼油装置管式火焰加热炉及附属设备的设计、制造、安装和检验。本规范不适用于制氢转化炉、裂解炉的设计、制造、安装和检验。

为便于广大设计、施工、科研、学校等单位有关人员在使用本规范时能正确理解和执行条文规定,《炼油装置火焰加热炉工程技术规范》编制组按章、节、条的顺序编制了本规范的条文说明,对条文规定的目的、依据以及执行中需注意的有关事项进行了说明。但是,本条文说明不具备与规范正文同等的法律效力,仅供使用者作为理解和把握规范规定的参考。

目　次

3　基本规定 …………………………………………………… (139)
4　设计要求 …………………………………………………… (140)
　　4.1　工艺设计 ……………………………………………… (140)
　　4.3　机械设计 ……………………………………………… (140)
5　炉　管 ……………………………………………………… (142)
　　5.1　一般规定 ……………………………………………… (142)
　　5.2　扩面部分 ……………………………………………… (142)
10　钢结构和附件 ……………………………………………… (143)
　　10.2　结构 ………………………………………………… (143)
　　10.4　直梯、平台和斜梯 …………………………………… (143)
11　烟囱、烟风道和尾部烟道 ………………………………… (144)
　　11.1　一般规定 …………………………………………… (144)
　　11.3　风诱导振动的设计 …………………………………… (144)
12　燃烧器和辅助设备 ………………………………………… (145)
　　12.2　吹灰器 ……………………………………………… (145)
　　12.3　通风机和驱动机 ……………………………………… (145)
13　空气预热系统 ……………………………………………… (146)
　　13.1　一般规定 …………………………………………… (146)
附录 A　设备数据表 …………………………………………… (147)
附录 B　炉管支承件设计用应力曲线 ………………………… (148)
附录 C　加热炉系统用离心通风机 …………………………… (151)

3 基 本 规 定

3.0.2 在石化行业中,加热炉是装置中的供热设备,有圆筒炉、箱式炉、立式炉和多室箱形炉等。加热炉由诸多零部件组成,图1表示了加热炉的主要结构和部件。

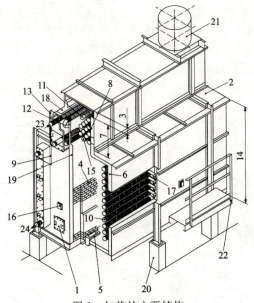

图1 加热炉主要结构

1—人孔门;2—炉顶;3—尾部烟道;4—桥墙;5—燃烧器;6—壳体;
7—对流段;8—折流体;9—转油线;10—炉管;11—扩面管;12—回弯头;
13—弯头箱;14—辐射段;15—遮蔽段;16—看火门;17—管架;
18—耐火衬里;19—管板;20—柱墩;21—烟囱;22—平台;
23—工艺介质入口;24—工艺介质出口

3.0.4 附录B给出了支承件材料的应力曲线,该应力曲线是最低要求。

4 设 计 要 求

4.1 工 艺 设 计

4.1.2 本条规定是为减少介质在管内流动的过程中形成偏流。

4.3 机 械 设 计

4.3.1 加热炉进行机械设计时,应综合计及所有规定的操作条件,如蒸汽-空气清焦时短期条件下的热膨胀。

4.3.6 一般炼油用加热炉的炉型如图2所示,典型的燃烧器布置如图3。

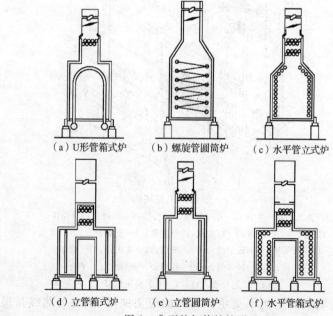

图2 典型的加热炉炉型

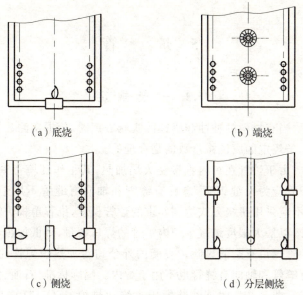

图 3 典型的燃烧器布置

5 炉　　管

5.1　一般规定

5.1.2　当有材料的冲蚀和腐蚀的实测数据时，依据实测数据选用高于本条规定的腐蚀裕量数值是合理的。

5.1.4　由于炉管在炉内直接受火焰加热，其工作环境苛刻，故炉内的炉管应为无缝钢管，螺旋有缝管和轴向有缝管不用于炉内。同时，不应采用拼接方式达到要求的炉管长度，推荐单根炉管尽量为整管，以最大限度地减少炉内炉管的焊口数量，降低加热炉在运行中炉管焊口开裂的风险。查阅国外公司对加热炉炉管的要求，螺旋有缝管和轴向有缝管也不用于炉内。国际标准《石油、化工和天然气工业——一般炼油装置用火焰加热炉》ISO 13705 中也有相关要求："所有的管子应为无缝管，除非卖方批准，不应采用拼接方式达到要求的炉管长度，如要拼接，其位置还需经过卖方的批准"。

5.2　扩面部分

5.2.1　加热炉常用的扩大表面管为钉头管和翅片管。将每个钉头采用电弧或电阻焊焊到炉管上所形成的管子称为钉头管。采用高频连续焊将钢带螺旋缠绕焊到炉管外表面上的管子称为翅片管。

10 钢结构和附件

10.2 结 构

10.2.3 本条仅对炉壁板的最小厚度做出了规定,在工程设计中,如果在钢结构的承力计算中考虑了壳体板对相连钢框架的有利作用,需要在设计文件中另外对壁板厚度、焊缝形式和焊接要求做出规定。

10.2.5 加热炉防火层的设置参考了现行国家标准《石油化工企业设计防火规范》GB 50160,该规范要求加热炉的钢结构不做整体防火处理,原因是加热炉炉膛内温度较高,且有一部分热量要通过炉体散发,如将加热炉的钢结构进行整体防火处理,将影响散热导致钢结构的温度升高,对承力的钢结构产生附加的温度应力,不利于结构安全。

10.4 直梯、平台和斜梯

10.4.11 加热炉用落地钢烟囱高度通常为60m,且顶部直径一般小于3m。露天安置的高烟囱,在风载作用下出现振动是常见的现象,其振动可能存在两种形态:顺风向振动和横风向振动,振动轨迹一般为一个椭圆形的轨道。横风向振动也称诱导振动,其振动更为剧烈,振幅可达半米之多。如设置旋转梯,由于旋转半径小,上升角较大,使得有效踏步面积仅为旋转梯外侧的区域,当遇有烟囱晃动时人员行走不够安全。经查国外同类钢烟囱梯子的设计,大多采用带护笼的直梯,它可将人体包裹在护笼内,故不推荐设置旋转梯。烟囱梯子平台的设置宜按现行国家标准《固定式钢梯及平台安全要求》GB 4053 执行。

11 烟囱、烟风道和尾部烟道

11.1 一 般 规 定

11.1.7 钢烟囱设置浇注料衬里的主要作用为：
(1)防火；
(2)防止结构壳体接触高温气体；
(3)防腐蚀。

11.1.9 尾部烟道在最后一排对流炉管之上留出空间，是为了便于人员进入该区域进行检维修，另外，留出足够的空间以减少烟气涡流区对传热的影响。

11.3 风诱导振动的设计

11.3.11 本条推荐螺旋扰流构件的螺距选用 5 倍烟囱直径。经查，《一般炼油装置用火焰加热炉》API STD 560 和《石油、化工和天然气工业——一般炼油装置用火焰加热炉》ISO 13705 中也给出了同样的规定。在工程设计中，与风诱导振动相关的影响因素较多，需要具体问题具体分析，必要时可使用经过风洞试验或模拟计算获取的最佳螺距。

12 燃烧器和辅助设备

12.2 吹灰器

12.2.1 除蒸汽吹灰器外,诸如声波清灰器、激波清灰器等也可供选择。

12.3 通风机和驱动机

12.3.2 设置备用的通风机和驱动机的原因是当运行的通风机和驱动机出现故障时切换备用风机,减少装置停车的风险。

13 空气预热系统

13.1 一般规定

13.1.2 图 13.1.2-1 和图 13.1.2-2 是 Piece 和 Totham 给出的曲线,它是燃料中硫浓度与烟气硫酸露点温度之间的一般关系曲线,这两条曲线用于估算烟气硫酸露点温度。烟气露点温度与烟气组成、温度和压力有关,如需要露点温度的精确值,应进行详细计算,必要时辅以实验验证。

附录 A 设备数据表

表 A.0.1～表 A.0.3、表 A.0.5 来源于现行行业标准《一般炼油装置用火焰加热炉》SH/T 3036,表 A.0.4 通风机数据表采用了国内常用的格式,方便使用。

表 A.0.1 的烟风道,在本规范中指输送烟气的烟道和输送空气的风道,即烟风道是烟道和风道总的称谓。

附录 B 炉管支承件设计用应力曲线

B.0.1 图 B.0.1-1～图 B.0.1-13 给出了以下可用于炉管支承件设计的应力曲线：

(1) 1/3 抗拉强度曲线；

(2) 2/3 屈服强度(0.2％残余变形对应的强度)曲线；

(3) 10000h 产生 1％蠕变所对应的平均强度的 50％曲线；

(4) 10000h 产生断裂所对应的平均强度的 50％曲线。

对于碳钢铸件、碳钢板以及 50Cr-50Ni-Nb 铸件的部分应力曲线尚无现成资料可查。在各种材料的应力曲线图中都给出了最高设计温度，材料工作温度在此温度以下均可适用。

对于一些尚无曲线可供查询的低铬合金、合金铸铁和高铬镍合金，若设计中采用这些材料的铸件，许用应力应从材料的生产方获得并应得到用户的认可和批准。

图 B.0.1-1～图 B.0.1-13 所示的所有应力曲线都基于公开数据。曲线的不规则形状反映了构成该曲线数据的实际状况。

图 B.0.1-1～图 B.0.1-13 所示的最高设计温度来自于本规范的表 8.3.1，除图 B.0.1-10 和图 B.0.1-12(牌号为 309H 和 310H 的钢板)是基于有效应力数据外，其余都是基于抗氧化性能数据。某些可在高温和高氧化速率条件下使用的材料，其应力曲线延伸到了最高设计温度以外。

图 B.0.1-13 中，《铬-镍合金铸件》ASTM A560 中牌号 50Cr-50Ni-Nb 的材料通常用来抗钒腐蚀。但温度在 870℃以上其耐腐蚀性减弱。

图 B.0.1-1～图 B.0.1-13 应力数据的来源如表 1。

表1　图 B.0.1-1～图 B.0.1-13 应力数据的来源

图号	材料	曲线	数据来源
B.0.1-1	碳钢铸件	抗拉强度 屈服强度	SFSA 铸钢手册 SFSA 铸钢手册
B.0.1-2	碳钢钢板	抗拉强度 屈服强度	ASTM DS 11S1 ASTM DS 11S1
B.0.1-3	$2\text{-}1/4\text{Cr}-1\text{Mo}$ 铸件	抗拉强度 屈服强度 断裂强度 蠕变强度	ASTM DS 6 ASTM DS 6S2 ASTM DS 6S2 ASTM DS 6S2
B.0.1-4	$2\text{-}1/4\text{Cr}-1\text{Mo}$ 钢板	抗拉强度 屈服强度 断裂强度 蠕变强度	ASTM DS 6S2 ASTM DS 6S2 ASTM DS 6S2 ASTM DS 6S2
B.0.1-5	$5\text{Cr}-1/2\text{Mo}$ 铸件	抗拉强度 屈服强度 断裂强度 蠕变强度	ASTM DS 6 ASTM DS 58 ASTM DS 58 ASTM DS 58
B.0.1-6	$5\text{Cr}-1/2\text{Mo}$ 钢板	抗拉强度 屈服强度 断裂强度 蠕变强度	ASTM DS 58 ASTM DS 58 ASTM DS 58 ASTM DS 58
B.0.1-7	$19\text{Cr}-9\text{Ni}$ 铸件	抗拉强度 屈服强度 断裂强度 蠕变强度	ASM 金属手册 ASM 金属手册 ASM 金属手册 ASM 金属手册
B.0.1-8	304H 钢板	抗拉强度 屈服强度 断裂强度 蠕变强度	ASTM DS 5S2 ASTM DS 5S2 ASTM DS 5S2 ASTM DS 5S2

续表 1

图号	材料	曲线	数据来源
B.0.1-9	25Cr-12Ni 铸件	抗拉强度 屈服强度 断裂强度 蠕变强度	ASM 金属手册 ASM 金属手册 ASM 金属手册 ASM 金属手册
B.0.1-10	309H 钢板	抗拉强度 屈服强度 断裂强度 蠕变强度	ASTM DS 5 ASTM DS 5 ASTM DS 5 ASTM DS 5
B.0.1-11	25Cr-20Ni 铸件	抗拉强度 屈服强度 断裂强度 蠕变强度	ASM 金属手册 ASM 金属手册 ASM 金属手册 ASM 金属手册
B.0.1-12	310H 钢板	抗拉强度 屈服强度 断裂强度 蠕变强度	ASTM DS 5 ASTM DS 5 ASTM DS 5 ASTM DS 5
B.0.1-13	50Cr-50Ni-Cb 铸件	断裂强度 蠕变强度	API 560　IN-657 API 560　IN-657

附录 C 加热炉系统用离心通风机

C.1.2 烟气余热回收系统中常用到通风机。在本规范中通风机指送风机和引风机,即通风机是送风机和引风机总的称谓。